La politique africaine
de
François Mitterrand

JEAN-FRANÇOIS BAYART

La politique africaine
de
François Mitterrand

Essai

Éditions KARTHALA
22-24 boulevard Arago
75013 PARIS

AVERTISSEMENT

Ce livre a sa petite histoire, qui en fixe les limites. La revue Esprit *m'a demandé, au printemps 1982, de rédiger un article sur la politique africaine mise en œuvre par M. Mitterrand depuis son élection à la présidence de la République. Encouragé par quelques amis, j'ai assez imprudemment accepté la proposition de Paul Thibaud et d'Olivier Mongin.*

*Néanmoins, accaparé par d'autres travaux, effrayé par l'ampleur du sujet et aussi, je dois l'avouer, par l'ignorance que j'en avais, j'ai repoussé la rédaction de ce texte jusqu'à ce que la crise franco-tchadienne de l'été 1983 me place dans une situation délicate vis-à-vis de l'extrême patience de l'équipe d'*Esprit. *Je n'étais pas au bout de mes peines. J'ai en effet été amené à dépasser les dimensions habituellement imparties à un article et à écrire, en quelque sorte par inadvertance, un ouvrage certainement trop bref eu égard à l'importance du problème. C'est reconnaître que les pages qui suivent valent moins par elles-mêmes que par les réactions et les mises au point qu'elles ne manqueront pas de susciter.*

Il serait puéril, quand on se penche sur la politique africaine de la gauche en un essai d'histoire immédiate, de

5

prétendre rester en marge des jugements de valeur. Précisons d'entrée de jeu le biais qui traverse ces pages. Ni militantes ni vengeresses, elles ont été écrites par un électeur ancien et futur de l'actuelle majorité et se veulent simplement critiques, au sens premier de ce mot. Je ne pense pas qu'elles participent pour autant de ce que Lothar Baier nomme drôlement « la gauche en chemise de pénitent ».

Les recherches sous-jacentes à cet essai ont été menées dans le cadre du Centre d'études et de recherches internationales de la Fondation nationale des sciences politiques. Je tiens à remercier toutes les personnes qui, en me recevant, ont contribué à mon information, et en particulier les responsables politiques qui ont fait preuve d'une très grande tolérance à l'égard de mon hétérodoxie. Celle-ci n'a d'autre espoir que d'être utile aux différents acteurs qui façonnent les relations franco-africaines. Elle n'est pas exclusive d'une vive conscience des contraintes inhérentes à l'exercice direct du pouvoir ou à la gestion des entreprises. Puisse le lecteur comprendre, en retour, les exigences du métier de chercheur !

Pour le meilleur, ce livre n'aurait pas vu le jour sans le soutien amical de Jean-Luc Domenach, d'Olivier Mongin, de Zaki Laïdi, de Marie-Claude Smouts, de Sami Cohen, de Robert Buijtenhuijs, de Gilles Duruflé, de Guy Hermet, de Sylvie Haas, d'Hélène Arnaud. Pour le pire, j'en revendique l'entière responsabilité.

Paris, le 1er novembre 1984

Lieux

l'Élysée	Présidence de la République française
2, rue de l'Élysée	siège des bureaux de Guy Penne et de Jean-Christophe Mitterrand, jadis de ceux des services de Jacques Foccart
rue Monsieur	ministère de la Coopération et du Développement
Quai d'Orsay	ministère des Relations extérieures
rue de Solférino	siège du Parti socialiste
rue de Rivoli	ministère de l'Économie et des Finances
boulevard Saint-Germain	ministère de la Défense nationale

INTRODUCTION

Parler de politique africaine de la gauche ne va pas de soi. Non plus, d'ailleurs, que de parler de politique africaine de la France.

C'est arbitrairement que l'on privilégie ce volet du système international. Un tel parti paraît naturel aux yeux de l'opinion française. Il n'en est pas forcément de même pour les opinions publiques africaines, ni pour les autres acteurs de la scène mondiale. Vingt-quatre ans après l'accession à l'indépendance de la majorité des États qui le composent, le continent ne se sent plus le partenaire obligé de ses anciennes métropoles et les puissances extérieures ne reconnaissent plus à celles-ci de chasses gardées. La parenthèse de l'extra-version coloniale des sociétés africaines est close, quelles que soient la persistance et l'ampleur des liens qui furent noués alors. Des échanges, un moment suspendus ou oblitérés, reprennent avec vigueur ; de nouveaux courants s'établissent. Ainsi, la problématique des relations franco-africaines recoupe celles des rapports du continent avec le monde arabe, avec l'Asie, avec l'Union soviétique, avec l'Amérique du Nord ou du Sud. Et, du point de vue de l'Afrique, les secondes pèsent — ou pèseront — autant que la première.

En outre, la gauche ne fournit pas une unité d'analyse incontestable. Son arrivée au pouvoir a bien sûr constitué une césure, d'autant plus ressentie qu'elle survenait pour la première fois depuis la décolonisation et qu'elle parachevait deux décennies de critique acerbe, fortement idéologisée, des relations franco-africaines. Il serait néanmoins aussi légitime, et peut-être plus pertinent, de retenir d'autres ruptures significatives : le départ du général de Gaulle en 1969

11

ou, à partir de 1980, la désaffection des principaux chefs d'État africains francophones à l'égard de M. Giscard d'Estaing. De plus, la gauche n'est pas unanime face à l'Afrique et les clivages qui la parcourent ne sont pas toujours cohérents avec ce que l'on en attendrait : Jean-Pierre Chevènement, le leader du courant du Parti socialiste le plus proche du Parti communiste, était partisan, en tant que ministre de l'Industrie et député-maire de Belfort, de la vente à la République sud-africaine d'un deuxième réacteur nucléaire ; Jean-Pierre Cot, le héraut de la nouvelle coopération qui avait su obtenir la confiance du capitaine Sankara, passait pour être l'un des membres du gouvernement les plus décidés à s'opposer aux menées subsahariennes du colonel Kadhafi ; Jean-Baptiste Doumeng, le « milliardaire rouge » qui avait ses entrées rue de Rivoli dès avant mai 1981, promeut une forme de coopération agro-industrielle qui contredit radicalement la philosophie de la rue Monsieur et que beaucoup d'hommes réputés de droite ne cautionneraient pas tant elle paraît mercantiliste et inadaptée (1). A l'inverse, plusieurs des responsables de l'opposition ont approuvé la politique africaine de M. Mitterrand, y reconnaissant une continuité avec la leur.

Les deux termes du binôme franco-africain ne sont pas plus homogènes. L'Afrique est disparate géographiquement, politiquement, culturellement. A ce titre les différents pays qui la composent entretiennent des relations diverses avec la France. La grande distinction est évidemment celle qui sépare les anciennes colonies de celle-ci du reste du continent, encore que le temps l'ait nuancée : certains pays incorporés à « l'Empire » se sont éloignés de Paris tandis que d'autres États, de

---

(1) J. Grall, « Le système Doumeng : affaires africaines », *Le Monde*, 17 décembre 1983.

12

passé colonial belge, portugais, espagnol ou, dans une moindre mesure, britannique ont eu tendance à s'en rapprocher. Il est d'autres critères de différenciation, tel le poids de la présence économique ou culturelle française. Les « relations franco-africaines », par exemple, ne peuvent être les mêmes lorsque la communauté française expatriée est de 50 000 ou de 24 000 ressortissants, pour une population autochtone de huit millions ou un million d'habitants, comme en Côte-d'Ivoire ou au Gabon, et lorsque cette même communauté expatriée ne compte que 15 000 ou 6 500 ressortissants, comme au Cameroun ou au Nigeria, pour une population totale de neuf millions et... quatre-vingts millions d'habitants ! Le monolithisme politique apparent de la plupart des régimes du continent ne doit pas non plus cacher la pluralité des intérêts qu'ils recouvrent, et l'on constatera que la conjugaison au singulier d'« une » Afrique mythique par les media occidentaux n'est nullement innocente ; le 10 mai 1981, les habitants de Treichville ou de New-Bell n'avaient pas obligatoirement la même opinion sur la victoire de M. Mitterrand que MM. Houphouët-Boigny ou Ahidjo.

Quant à « la France », elle consiste en l'occurrence en une multiplicité de centres de décision qui n'agissent point de concert, ni même d'une façon particulièrement harmonieuse. Hormis les lignes de clivages internes à la classe politique, l'administration n'est pas une. Aux classiques rivalités entre les ministères concernés par les questions africaines s'ajoutent d'autres nuances plus subtiles, au sein de chaque département (par exemple, au Quai d'Orsay, entre la Direction des affaires africaines et malgaches, d'une part, les sous-directions pour l'Afrique du Nord et pour l'Égypte-Levant de la Direction des affaires politiques, de

13

l'autre) ou entre les différentes filières de recrutement (anciens de l'École nationale de la France d'outre-mer, énarques, militaires, etc.). L'opposition entre l'administration et le milieu des affaires est proverbiale et a joué son rôle pendant la colonisation et la période de décolonisation. Peut-être convient-il désormais de la relativiser. Le secteur privé, trop souvent présenté comme un *deus ex machina* aux profits duquel se ramène chaque frisson du système économique mondial, n'est pas homogène. De sérieuses divergences de vues et d'intérêts séparent les vieilles sociétés commerciales, du type de la SCOA, de la SHO, de la CFAO, des groupes plus modernes, exportateurs de biens industriels ou réalisateurs de grands travaux publics. Et les perspectives du secteur bancaire sont encore autres. Le problème de la coopération industrielle est un bon révélateur de ces discordances : les responsables permanents du CNPF, la plupart des financiers, le Centre français de promotion industrielle en Afrique (CEPIA) plaident pour la délocalisation des investissements là où les chefs d'entreprise se montrent plus réticents. Par ailleurs, il existe tout un entre-deux, à cheval sur le secteur public et sur le secteur privé. Celui-ci a une longue pratique des différents services du ministère de la Coopération et des institutions financières publiques, tandis que quelques-uns des plus gros opérateurs sur le continent africain sont des entreprises nationales ou mixtes (Elf-Erap, Compagnie française pour le développement des fibres textiles, secteur bancaire nationalisé, sociétés d'études filiales de la Caisse des dépôts et consignations, etc.). Au gré de ces échanges continus se sont constitués des réseaux d'amitié et parfois de collaboration plus occulte dont Jacques Foccart avait su profiter avec le brio que l'on sait.

C'est ce tissu fort complexe d'intérêts particuliers, de convictions idéologiques et d'interactions permanentes qui rend si spécifique la teneur des relations franco-africaines, pour le meilleur et pour le pire, qui leur confère ce caractère « intime », quasi « familial » dont enragent les observateurs anglo-saxons (2) et sur lequel il y a en effet beaucoup à dire, beaucoup à réfléchir. Si l'on ajoute que ce tête-à-tête entre la France et l'Afrique passe depuis longtemps déjà, et d'une façon croissante, par l'aide multilatérale, et notamment par Bruxelles — où Paris a jusqu'à présent tenu à s'assurer des relations de la Communauté économique européenne avec le Tiers monde, par l'intermédiaire de Claude Cheysson et, aujourd'hui, d'Edgar Pisani —, si l'on précise qu'il se ramifie avec d'autres champs d'action du système international comme le suggèrent le conflit tchadien ou la coopération quotidienne de la DGSE avec les services secrets africains, sud-africains, israéliens et américains, l'on aura quelque idée des difficultés que soulève l'analyse de la politique africaine de la gauche.

Or, nous sommes mal armé pour entreprendre cette tâche. Tout d'abord, l'auteur de ces lignes n'est pas un spécialiste de la question et il était exclu qu'il tirât le meilleur parti de la documentation disponible. Celle-ci, ensuite, demeure assez limitée. Fait surprenant compte tenu de l'ampleur et de l'ancienneté des enjeux : aucun chercheur français ne suit systématiquement les relations entre son pays et les États subsahariens. A quelques exceptions près, les travaux publiés sont partiels,

---

(2) T. Golan, « A certain mystery : how can France do everything that it does in Africa — and get away with it ? », *African Affairs* 80 (318), January 1981, pp. 3-11 ; R. Joseph, ed., *Gaullist Africa : Cameroon under Ahmadu Ahidjo*, Enugu, Fourth Dimension Publishers, 1978, chapitres 1 et 2 ; R. Luckham, « Le militarisme français en Afrique », *Politique africaine*, 5, février 1982, pp. 95-110 et *ibid.*, 6, mai 1982, pp. 45-71 ; J. Gretton, « French influence in Africa : the changing forms », *Africa Guide* 6, 1982, pp. 75-76 ; P. Calvocoressi, « Perfidie française », *Jeune Afrique*, 20 octobre 1982.

ou purement juridiques, ou platement économicistes ; la plupart d'entre eux sont sujets à caution dans la mesure où ils sont explicitement orientés. Handicap plus sérieux, la presse, sur laquelle repose tout essai d'histoire immédiate, fournit une couverture insuffisante. La remarque vaut moins pour l'Afrique anglophone qui bénéficie de la tradition britannique et, maintenant, américaine. L'Afrique francophone, en revanche, n'a pas joui d'un traitement comparable même si les choses ont évolué favorablement ces deux dernières années avec la réorganisation du bureau « Afrique » du *Monde,* la professionnalisation de *Libération,* la rénovation de Radio-France Internationale. Elle n'a longtemps fait l'objet que d'une information mineure, politiquement liée. Les régimes en place y sont parvenus à empêcher l'éclosion d'une presse digne de ce nom (à l'exception récente et encore timide du Sénégal) et à limiter la liberté d'action des organes étrangers, les cantonnant aux sous-entendus et aux mensonges par omission, les prenant aux pièges de complaisances inadmissibles au regard de la déontologie. La presse française est étroitement intégrée au tissu franco-africain que nous évoquions, et des chefs d'État comme MM. Bongo, Mobutu, Houphouët-Boigny, Eyadema, Habré savent admirablement en jouer. Non qu'ils soudoient à proprement parler tel ou tel journaliste : la chose doit exister mais elle ne concerne probablement pas les signatures les plus en vue. Plus subtilement, au gré de situations acquises, d'honneurs et de familiarités dispensés, de voyages offerts, des complicités et, mieux encore, des convictions se sont forgées qui ont pris le pas, dans les colonnes des journaux parisiens, sur les ondes de la radio ou de la télévision françaises, sur le pur travail d'information. Bien des commentateurs ont une certaine conception de ce qui est politiquement souhaitable en Afrique et entre la France et l'Afrique ; le cas échéant, ils mettent la main à la pâte. De professionnelle, leur fréquentation de certains chefs d'État est devenue amicale ou dévotionnelle. Tout cela est sans doute légitime mais l'information n'y gagne pas en qualité. Encore faut-il compter avec ce qui est désinformation délibérée, notamment par l'intermédiaire de publicités rédactionnelles inavouées, de lettres soi-disant confidentielles et de pseudo-agences de presse (3). Les uns et les autres travaillent d'ailleurs souvent de pair comme le confirma l'affaire du faux coup d'État de Ndjamena à la fin du mois d'octobre 1981 : la responsabilité directe de l'AFP, de la *Lettre d'Afrique* de Michel Lambinet (également propriétaire du *Mois en Afrique*) et du *Quotidien de Paris* fut alors évoquée avec quelque vraisemblance, et l'ensemble de la presse quotidienne du matin reprit ce « canard », seul *Libération* ayant cru devoir apporter un rectificatif explicite le lendemain (4). Enfin, il convient de signaler la faiblesse relative des périodiques continentaux francophones à l'exception de l'hebdomadaire économique *Marchés tropicaux et méditerranéens,* dont la réputation de sérieux est internationalement établie. *Afrique-Asie, Le Mois en Afrique, Africa* (Dakar) et même *Jeune Afrique* ne peuvent rivaliser en intérêt avec leurs homologues en langue anglaise, tels que *Africa now* (Londres), *West Africa* (Londres) ou *Weekly Review* (Nairobi).

---

(3) F. Soudan, « Enquête sur une agence au-dessus de tout soupçon », *Jeune Afrique,* 10 février 1982.

(4) C. Angeli, « Le coup du coup d'État fantôme », *Canard enchaîné,* 4 novembre 1981 et « Les barbouzes sont fatiguées », *ibid.,* 18 novembre 1981 ; P. Barrat, « Qui a tenté de saboter le plan français de règlement du conflit tchadien ? », *Nouvelles littéraires,* 15 novembre 1981 ; P. Decraene, « Le sommet franco-africain », *Le Monde,* 3 novembre 1981 ; P. Haski, « Le retour des conseillers militaires français au Tchad », *Libération,* 18 novembre 1981 ; P. Péan, *Affaires africaines,* Paris, Fayard, 1983, pp. 262 et suiv. Pour une interprétation différente, cf. C. Faure, « La France va devoir dialoguer avec Habré », *Le Quotidien de Paris,* 6 octobre 1982 et B. Decq, « Qui a fabriqué le coup d'État ? », *Tchad nouvelles,* 3, décembre 1981, pp. 5-6.

Zones d'ombre, nouvelles erronées, jugements partisans : le chercheur soucieux de restituer la trame des rapports franco-africains et de s'interroger sur la politique de la gauche en ce domaine doit donc accorder une place probablement exagérée et pourtant insuffisante aux entretiens et à l'observation directe. Les renseignements ainsi obtenus sont partiels, parfois partiaux, toujours difficiles à utiliser pour des raisons ayant trait au respect de l'anonymat des informateurs ou à la technicité des sujets évoqués. Simultanément, le chercheur n'a ni le temps ni les moyens de s'impliquer véritablement dans l'étude participante de son sujet, qui serait seule à même de le lui faire posséder.

Au terme de notre enquête, nous n'avons de la sorte rencontré, d'un interlocuteur et d'un dossier à l'autre, que des parts de vérité. Chacune d'entre elles aurait mérité d'être approfondie. Nous avons préféré esquisser une synthèse, provisoire, fragile, certainement pas « scientifique », pour amorcer un débat nécessaire et curieusement absent. En effet, trois ans après l'élection de François Mitterrand à la présidence de la République, aucune étude générale de sa politique africaine n'a encore été publiée, alors que celle de son prédécesseur avait donné matière à d'âpres discussions et que le continent a continué d'occuper sa place dans l'actualité internationale. Les pages qui suivent n'ont d'autre ambition que de commencer à combler cette lacune.

I

LE PHANTASME
D'UNE AUTRE POLITIQUE
AFRICAINE

Les premiers pas de la gauche en Afrique furent d'autant plus euphoriques que l'image de M. Giscard d'Estaing au sud du Sahara était, à tort ou à raison, gravement altérée. Crise politique, bien sûr, sur laquelle il nous faudra revenir, mais plus encore crise « morale » au sens où Serge July l'entendait, dans un éditorial célèbre, pour expliquer le changement survenu au soir du 10 mai. La victoire de François Mitterrand était peut-être avant tout le rejet d'un certain style politique ; dans ce style l'Afrique entrait pour beaucoup, Béchir Ben Yahmed n'hésitant pas à dire que M. Giscard d'Estaing avait contracté le « mal africain » (1). La gauche, une large fraction de la presse parisienne, de nombreux Africains, dénonçaient acerbement le mercantilisme, l'interventionnisme, le cynisme, les compromissions de la politique subsaharienne de M. Giscard d'Estaing et le comportement intime de celui-ci au cours de séjours trop fréquents et trop personnalisés pour ne pas être sujets à interrogations. Au milieu de l'été, les « stratèges africains » de M. Mitterrand pouvaient encore affirmer : « Ni sur le fond ni sur la forme il ne peut y avoir de dénominateur commun avec la politique de faillite de l'ancien régime » (2). Le sentiment de rupture, indéniable en France même, était amplifié par les différentes composantes de l'opinion africaine. M. Giscard d'Estaing ne pouvait que faire sourire quand, au cours d'un débat télévisé, il affirma péremptoirement, à l'encontre de son principal adversaire, qu'il bénéficiait de la con-

---

(1) B. Ben Yahmed, « Giscard et le mal africain », *Jeune Afrique*, 20 mai 1981, pp. 18-19.
(2) Propos rapportés par *L'Express*, 14 août 1981.

fiance des chefs d'État africains. Il était de notoriété publique qu'il n'en était plus ainsi depuis au moins deux ans. Les plus progressistes d'entre eux continuaient de lui reprocher un rééquilibrage insuffisant de sa politique en Afrique australe, la décolonisation manquée des Comores, l'ambiguïté du « trilogue », son engagement en faveur du Maroc dans l'affaire du Sahara occidental, les agissements des différents services secrets réputés dépendre peu ou prou de l'Élysée. Fait inédit, les « modérés » lui savaient moins gré de ses interventions au Shaba, en Mauritanie et au Tchad qu'ils ne lui faisaient grief du renversement de Bokassa et de l'entrée des Libyens à Ndjamena. Il y avait jusques aux relations entre la France et la Côte-d'Ivoire qui s'étaient considérablement dégradées : M. Houphouët-Boigny n'avait guère de considération pour son homologue français et, ulcéré, entre autres marques d'indifférence, du refus de celui-ci, en septembre 1980, d'appuyer auprès des banques une aide financière exceptionnelle à un taux privilégié, il évoquait ces « amitiés qui vous abandonnent dès les premières difficultés » (3). A l'exception de M. Ratsiraka et de Sékou Touré, qui avait organisé prières et sacrifices en faveur de M. Giscard d'Estaing, les chefs d'État africains faisaient plutôt pencher leurs sympathies (et, pour certains d'entre eux, leurs contributions financières) vers Jacques Chirac ou vers François Mitterrand — quand ils ne les répartissaient pas entre les deux (4). Rares étaient ceux qui avaient prévu la victoire du dernier. Beaucoup pouvaient s'en féliciter, à commencer par les « progressistes » et l'équipe de M. Abdou

_____

(3) « Rapport de politique générale », PDCI, VIIe Congrès, 1980, p. 81. Voir également _Marchés tropicaux et méditerranéens_, 24 octobre 1980, p. 2615 et _Jeune Afrique_, 22 octobre 1980, pp. 40-41.

(4) P. Péan, _Affaires africaines_, Paris, Fayard, 1983, pp. 241 et suiv. et 247-248 ; S. Diallo, « Qui a gagné et qui a perdu en Afrique ? », _Jeune Afrique_, 20 mai 1981.

Diouf, membre de l'Internationale socialiste ; la plupart s'en accommodaient volontiers, tels M. Houphouët-Boigny qui se rappelait avoir négocié le désapparentement du RDA du groupe parlementaire communiste à l'Assemblée nationale, en 1951, avec un certain François Mitterrand, ministre de la France d'outre-mer, ou M. Ahidjo, qui n'avait jamais personnalisé à l'excès ses relations avec les chefs d'État français. Et, en définitive, comme l'on disait élégamment au Quai d'Orsay ou rue Monsieur, « seules les fripouilles peuvent être inquiètes » (5). Les « fripouilles », c'est-à-dire, pensait-on à l'époque, David Dacko remis en selle par « l'opération Barracuda », Omar Bongo dont on ne savait pas suffisamment que son amitié avec M. Giscard d'Estaing n'était plus ce qu'elle avait été, Mobutu Sese Seko sauvé à deux reprises par les avions de ce dernier, Sékou Touré qui, en 1977, avait traité M. Mitterrand de « crapule » et de « nazi » et le Parti socialiste de « parti de la souillure ».

L'aspect le plus intéressant de ce sentiment de rupture qui l'emportait était l'espérance dont il se chargeait dans une fraction non négligeable de l'opinion publique subsaharienne, au moins dans les pays francophones. Sur un continent auquel le politique ne sourit que rarement et dont les destinées restent étroitement imbriquées à celles de l'Europe, l'alternance, chez une nation dont le passé révolutionnaire est communément valorisé, revêtit des résonances profondes. Beaucoup d'Africains vécurent la démocratie par France interposée, au gré de la campagne présidentielle, et dans maintes capitales le triomphe du suffrage universel, ainsi que celui d'une gauche réputée généreuse, furent spontanément fêtés par une foule en liesse. « La rose déposée par Mitterrand lors de la visite au Panthéon,

_____

(5) Propos rapportés par *Le Matin*, 17 juin 1981.

le jour de son investiture, sur la tombe de Victor Schoelcher, est notre rose, la rose de l'Afrique d'abord et de la France ensuite », proclamait significativement un réfugié politique (6). A Paris même, sur la place de la Bastille, les immigrés, d'abord curieux et presque réticents, furent vite entraînés dans l'allégresse. La promesse d'une condition autre, par le seul des candidats qui ait eu quelques paroles heureuses sur le « Sud », était indissociable de la promesse d'une autre politique envers le Tiers monde, et en particulier l'Afrique (7). Comme le disait Julia Ficatier dans *La Croix*, « l'Afrique attend beaucoup de François Mitterrand », et elle ajoutait : « Puisse le nouveau président de la République ne pas décevoir son attente ! » (8). Quelques gestes, quelques discours bien sentis soulignèrent l'actualité de cet espoir. Encouragés par la fameuse rose déposée sur la tombe de Schoelcher, par la nomination de Jean-Pierre Cot au ministère de la Coopération et du développement, et celle de Claude Cheysson, l'architecte de la Convention de Lomé, aux Relations extérieures, par le retour à Paris de Simon Malley, le directeur d'*Afrique-Asie* expulsé quelque peu arbitrairement par le gouvernement de M. Barre, les délégations d'opposants en exil se succédaient rue Monsieur ; l'on murmurait qu'elles y recevaient bon accueil. Servis par les hasards du calendrier, les nouveaux dirigeants avaient « dès leur entrée en fonction une bonne partie du Tiers monde "sous la main" pour tester les (...) orientations de leur politique », grâce à la tenue à Paris de la Conférence sur les sanctions contre la République sud-africaine (9). Dans une première allocution, Lionel

---

(6) B. Tonswald, *Un réfugié politique africain à cœur ouvert avec le président Mitterrand*, Paris, Karthala, 1981, p. 9.

(7) Voir par exemple le reportage émouvant de S. Andriamirado, « J'ai vécu la prise de la Bastille », *Jeune Afrique*, 20 mai 1981.

(8) *La Croix*, 24-25 mai 1981.

(9) *Libération*, 26 mai 1981.

Jospin rappela, le 20 mai, que son parti demandait la cessation du commerce avec la Namibie, la réduction des importations en provenance de l'Afrique du Sud, la fin des investissements publics et privés auprès de celle-ci, le soutien politique, diplomatique et humanitaire aux pays de la « ligne de front ». Quand Claude Cheysson, en termes lyriques, réitéra ces engagements quelques jours plus tard, devant les mêmes assises, il souleva son auditoire. L'enthousiasme était renforcé par l'hégémonie du Parti socialiste au sein du gouvernement et, bientôt, de l'Assemblée nationale. Il apparaissait ainsi peu douteux que prévaudrait « touche par touche, pays par pays (...) une nouvelle conception des rapports avec le Tiers monde » (10). Les alarmes de la nouvelle opposition et les clins d'œil de certains pays, comme le Gabon et le Maroc, en direction de Washington contribuaient eux aussi, d'une façon indirecte, à l'espérance de renouveau. Rares, en définitive, étaient les observateurs qui relevaient l'étroitesse de la marge de manœuvre des autorités françaises et la prudence de Claude Cheysson (11).

D'emblée, Paris s'employa à innover tout en rassurant. Vis-à-vis de ses principaux partenaires, il réussit assez bien sur le deuxième point. En la personne de Guy Penne, M. Mitterrand se choisit un conseiller pour les affaires africaines, ce qui, après tout, n'allait pas de soi. Ici aussi, le calendrier le servit. Alors que le Nigeria soumettait le Cameroun à une forte pression militaire, à la suite d'un incident frontalier, la France fit immédiatement savoir à M. Ahidjo qu'elle se tenait prête à intervenir à ses côtés si celui-ci l'estimait nécessaire et en informa Lagos par l'intermédiaire de Was-

---

(10) *Nouvel Observateur,* 1ᵉʳ juin 1981. Voir aussi le *Times,* 20 mai 1981.

(11) « Un entretien avec M. Claude Cheysson », *Le Monde,* 28 mai 1981 et J.-C. Pomonti, « Paris dispose pour sa nouvelle politique africaine d'une marge de manœuvre très étroite », *Le Monde,* 19 août 1981.

hington (16 mai-4 juillet). Cette fermeté plut et avait valeur démonstrative pour le reste du continent. Dans le même temps, M. Cheysson insistait sur la volonté de la France d'honorer ses « engagements », sa « signature » (12). De multiples rencontres, tant à Paris qu'en Afrique, confirmèrent pendant l'été que le nouveau gouvernement n'adopterait pas un profil bas au sud du Sahara.

Mais les gestes d'ouverture ou de changement se multiplièrent également. Choses peu concevables lors du septennat précédent, la diplomatie française recevait de premiers satisfecit, il est vrai nuancés, de la part des capitales anglophones, et des chefs d'État jadis en froid avec Paris s'y rendirent en visite officielle, tels M. Sassou Nguesso (Congo) en juillet et MM. Nyerere (Tanzanie) et Kerekou (Bénin) en septembre. Peu soucieux d'aller à Kinshasa alors que le premier voyage en Afrique de M. Giscard d'Estaing, en tant que président de la République, l'avait conduit auprès de Jean-Bedel Bokassa, M. Mitterrand était parvenu à transférer le prochain sommet franco-africain à Paris. Rue Monsieur, Jean-Pierre Cot exposait les prémices d'une nouvelle coopération ; annonçant qu'il associerait symboliquement et systématiquement les pays anglophones et lusophones à ses déplacements subsahariens, afin de « prendre l'Afrique pour ce qu'elle est, à savoir une unité » (13), il ne cachait pas l'intérêt qu'il prenait à la lecture de l'annuaire d'Amnesty International. La joie, l'inquiétude, voire la fureur qu'engendraient ces bruissements accréditaient l'idée d'une mutation majeure à venir. Idée confortée de surcroît par le traitement de quatre dossiers de première importance.

---

(12) « Un entretien avec M. Claude Cheysson », *Le Monde*, 28 mai 1981.
(13) AFP, *Bulletin quotidien d'Afrique*, 18 août 1981.

Le candidat François Mitterrand s'était engagé à œuvrer à la définition d'un nouvel ordre économique mondial et à augmenter l'aide publique au développement, à la fois quantitativement — en la faisant passer progressivement de 0,36 % du PNB en 1980 à 0,7 % en 1988, DOM-TOM exclus — et qualitativement — en moralisant et en réorientant la coopération. Les plus proches partenaires africains de la France obtinrent satisfaction en voyant sauvegardé un ministère de la Coopération, bien que celui-ci fût désormais rattaché au ministère des Relations extérieures. La personnalité de Jean-Pierre Cot, son âge et son style, ses choix sans ambiguïté en faveur de l'autosuffisance alimentaire, de la satisfaction des besoins essentiels, de l'énergie et de la petite industrialisation, son intérêt pour l'aide multilatérale et pour la mondialisation de la coopération française, son souci d'associer à celle-ci les organisations non gouvernementales, sa volonté de contrôler l'affectation réelle des enveloppes budgétaires, ses préoccupations humanitaires, sa méfiance à l'égard des caciques des relations franco-africaines — autant de points qui laissaient néanmoins augurer des transformations en profondeur. Le climat, parfois surréaliste, qui régnait rue Monsieur accusait cette impression, et il était en outre programmé une réforme globale du ministère. Cette nouvelle impulsion donnée au dialogue Nord-Sud connut rapidement son point d'orgue. En septembre, la conférence sur les pays les moins avancés, convoquée par le gouvernement précédent, et ouverte par le président de la République, offrit à M. Cot l'opportunité d'exposer ses convictions et de se fixer comme sous-objectif de consacrer 0,15 % du PNB à l'aide publique au développement de ces PMA — sous-objectif qui sera ultérieurement repris par l'ensemble des membres de la CEE. En octobre, M. Mitterrand participait à la conférence de Cancun et tenait à Mexico le discours que l'on sait. Quelques mois plus tard, la France acceptait d'acheter le gaz algérien à un cours supérieur à celui du marché mondial. Auparavant, du 26 au 28 janvier, le gouvernement français, de pair avec l'OUA, avait organisé à Nice un colloque sur les nouvelles perspectives de la coopération scientifique et technique qui s'inspirait du Plan d'action de Lagos (1980) et qui fut présenté comme un modèle du genre. Toutes ces mesures appuyaient une démarche diplomatique qui visait à faire de la France un partenaire différent pour les pays du Tiers monde et à la poser dans un rôle d'avocat de celui-ci au sein des pays industrialisés.

Dans l'opposition, la gauche avait condamné, parfois avec violence, les interventions militaires françaises destinées à « restabiliser » des régimes africains confrontés à une menace intérieure, et plus encore les « ingérences » ouvertes ou occultes dont l'opération Barracuda avait offert un exemple criant. Une fois au pouvoir, elle ne fit pas mystère de son intention de disloquer les « gardes prétoriennes » placées au service de certains chefs d'État, sur le budget de la coopération. MM. Bongo, Mobutu et Dacko apparaissaient comme les plus concernés. Paris retira les « bérets verts » affectés à la sécurité personnelle de M. Dacko, supprima le poste de conseiller auprès de M. Bongo de M. Debizet, président du Service d'action civique et inculpé dans l'affaire d'Auriol, mais maintint l'assistance technique auprès de la gendarmerie gabonaise et de l'armée zaïroise. Néanmoins, les militaires français servant au sud du Sahara virent modifier leurs lettres d'instruction ; il leur était désormais prescrit de ne plus intervenir en cas de troubles intérieurs et les « Barracuda » restèrent en effet consignés dans leur cantonnement lors du pseudo-putsch du 1er septembre, à Bangui.

S'engouffrant dans le chemin ouvert par Louis de Guiringaud en 1977, les collaborateurs de François Mitterrand étaient plus à l'aise pour donner un tour explicitement politique au développement des relations entre la France et les pays africains socialistes, en particulier ceux de la « ligne de front ». La visite de Guy Penne et de Régis Debray à Luanda, début août, témoigna du soutien que Paris entendait désormais accorder au gouvernement du MPLA, dans sa double confrontation avec l'UNITA et l'Afrique du Sud ; bien que les deux émissaires eussent démenti les propos que l'agence angolaise de presse leur prêta, il faisait peu de doute qu'ils voyaient dans le système de l'apartheid le vrai problème, plutôt que dans la présence cubaine. Ainsi, en novembre, la France vota, au Conseil de sécurité, une résolution condamnant les attaques sud-africaines contre l'Angola. Dans le même temps, elle envoyait aux Seychelles un navire de guerre, puis une équipe d'experts militaires à la suite d'une tentative de coup d'État d'inspiration sud-africaine. Le voyage officiel de M. Cheysson à Addis-Abeba, en décembre-janvier, avait pour objet la mise en œuvre d'un important programme de coopération bilatérale, implicitement destiné à fournir un contrepoids à l'influence soviétique. Mais c'était au Mozambique que cette stratégie de rééquilibrage était menée avec le plus de vigueur, débouchant sur la constitution d'une commission mixte, sur un projet d'adhésion à la Convention de Lomé et sur de premières (et modestes) livraisons d'armes, en juin 1982 (14). Au Zimbabwe, l'offensive

---

(14) Voir notamment P. Haski, « Des armes françaises pour le Mozambique », *Libération*, 15 juin 1982.

française était de tonalité plus économique : en mai 1982, lors de la visite de Robert Mugabe, un protocole financier de 317 millions de Francs français fut signé, qui présentait « la particularité de moduler le "mixage" des prêts du Trésor (...) et des crédits privés (...) en fonction du caractère social ou, à l'inverse, générateur de profits, des projets envisagés » (15). En outre, le Parti socialiste entreprenait de multiplier les contacts politiques dans toute la région.

Au Tchad, l'arrivée de la gauche au pouvoir permettait de renouer les fils entre Paris et le GUNT présidé par M. Goukouni. On se souvient que celui-ci s'était emparé du pouvoir en 1980 grâce à une imposante aide militaire libyenne et qu'un accord de fusion entre le Tchad et la Libye, signé en janvier, demeurait en suspens. Le 9 juin, Ahmat Acyl, le ministre des Affaires étrangères du GUNT, était reçu à sa demande par M. Cot et évoquait le rapatriement des troupes libyennes « dès que l'armée nationale intégrée tchadienne serait formée » (16). En admettant la légitimité juridique de l'intervention du colonel Kadhafi et en reconnaissant avec quelque solennité le fait libyen, au contraire des Américains, le nouveau gouvernement français calmait le jeu régional. Une mission d'évaluation de M. Campredon à Ndjamena en juillet, une rencontre entre Guy Penne et M. Goukouni à Libreville en août se prolongeaient en une visite officielle de ce dernier à Paris, au mois de septembre. D'ores et déjà se posait la question des modalités de retour de la

---

(15) D.-C. Bach, « La politique française en Afrique après le 10 mai 1981 », *L'année africaine 1981*, Paris, Pedone 1983, pp. 240-241 et J.-P. Cot, *A l'épreuve du pouvoir. Le tiers-mondisme pour quoi faire ?*, Paris, Seuil, 1984, pp. 127-128.

(16) *Le Monde*, 11 juin 1981 et *Libération*, 12 juin 1981. Selon certaines sources, des affrontements entre troupes libyennes et troupes du GUNT avaient fait 300 ou 400 morts, parmi ces dernières, au mois d'avril (D.-S. Yost, « French policy in Chad and the Libyan challenge », *Orbis* 26(4), Winter 1983, p. 977).

France sur l'échiquier tchadien (17). Fin octobre, le film des événements s'accélérait. Depuis Cancun, M. Mitterrand demandait, assez dramatiquement, la constitution d'une force interafricaine ; de premières armes françaises parvenaient à M. Goukouni ; et le colonel Kadhafi, non sans avoir apparemment tenté, une ultime fois, de faire avaliser par le GUNT le traité de fusion des deux pays, annonçait le départ de ses troupes (18). Coïncidant avec la tenue à Paris de la première conférence des chefs d'État de France et d'Afrique à laquelle participait M. Mitterrand (3-4 novembre), la nouvelle faisait sensation et conférait aux premiers pas africains de celui-ci un lustre qui contrastait cruellement avec les déboires tchadiens de M. Giscard d'Estaing.

Le temps des maladresses et des dissonances

Néanmoins, l'apothéose du sommet de novembre 1981 ne dissimulait pas entièrement les premières fissures de la politique africaine de la gauche. Au Tchad même, les collaborateurs de M. Mitterrand eurent à s'inquiéter de la contre-offensive d'Hissène Habré dans l'Est dès le mois de novembre. Celui-ci bénéficiait de la lenteur avec laquelle la force interafricaine se déployait et des stocks d'armes perdus (ou remis ?) par les troupes libyennes. De toute façon, la force interafri-

---

(17) *Libération*, 8 août 1981 ; *Le Monde*, 3 septembre 1981 ; *Libération* et *Le Monde*, 17 septembre 1981 ; R. Backmann, « Tchad : le plan français », *Nouvel Observateur*, 3 octobre 1981 ; P. Haski, « Le retour des conseillers militaires français au Tchad », *Libération*, 18 novembre 1981.
(18) *Canard enchaîné*, 4 et 18 novembre 1981 et *Nouvelles littéraires*, 15 novembre 1981.

caine n'entendait pas s'interposer et le soutien discret de l'Algérie, joint à l'assistance française, ne pouvait suffire à suppléer l'incroyable carence du GUNT, plus soucieux de détourner un maximum d'aide en un minimum de temps que d'organiser sa propre défense. Au sommet de Nairobi, les 10 et 11 février, M. Goukouni rejetait les propositions de l'OUA lui enjoignant de négocier et plaçait la France dans une situation des plus délicates. Malgré l'intensification de l'aide algérienne, le piège tchadien se refermait sur la gauche.

En Afrique australe, une fois passés les effusions et les discours, les limites du nouveau cours se faisaient sentir. Le coût économique d'une rupture avec la République sud-africaine effrayait. Imperturbable, le poste d'expansion économique de l'ambassade de France à Pretoria continuait d'inciter les entreprises françaises à répondre aux besoins du marché (19), et au sein du gouvernement des voix envisageaient la livraison d'un deuxième réacteur à la centrale nucléaire de Koeberg. En outre, le dossier de Mayotte apparaissait toujours aussi inextricable.

Dans le domaine économique, l'intransigeance des États-Unis révélait la faiblesse des moyens dont disposait en propre la France. A elle seule, elle n'était guère en mesure d'agir sur la restructuration de l'ordre économique mondial. L'imputation du surcoût du gaz algérien sur le budget de la coopération (ainsi que sur celui de l'Agence pour les économies d'énergie) entrava d'autant sa capacité d'action auprès des États subsahariens, tout en aiguisant leurs attentes en matière de co-développement. Par ailleurs, le désir de réorienter l'aide publique au développement que manifestait Jean-

---

(19) *Libération*, 5 avril 1982 et D.-C. Bach, « La politique française en Afrique après le 10 mai 1981 », *art. cit.*, pp. 246-247.

Pierre Cot se heurtait aux exigences de souveraineté des partenaires africains de la gauche. Ceux-ci s'irritaient de se voir dicter ce qui était souhaitable pour eux. Assez paradoxalement, la pratique socialiste de la coopération, façonnée par vingt ans de critique du néo-colonialisme, tendait souvent à un néo-interventionnisme moralisateur — ou du moins était fréquemment perçue comme tel, par exemple au Niger, en République centrafricaine, à Madagascar ou au Cameroun. « Le ministre (de la Coopération) doit jouer un rôle de censeur de ce mal-développement qui a été encouragé par la politique de coopération française de ces dernières années, c'est-à-dire le jeu du gain immédiat qui a conduit les États du Tiers monde à des investissements inconsidérés et à des erreurs catastrophiques de jugement », déclarait ainsi M. Cot d'une façon significative, avec quelque pertinence et beaucoup de maladresse (20). Diverses bévues protocolaires ou psychologiques dramatisèrent à l'excès ces points de friction, certains gouvernements étant trop contents d'en tirer parti pour faire passer un tout autre message.

Cependant, le malaise était essentiellement d'ordre politique. Quand elle était dans l'opposition, la gauche avait sévèrement pris à partie les liens étroits que l'Élysée entretenait avec des régimes réputés pour leur brutalité répressive et pour leurs malversations. Le projet socialiste sur « l'Afrique sud-saharienne », d'une façon assez lucide et mesurée, n'excluait a priori de la coopération avec la France que « les régimes racistes (soit l'Afrique du Sud) et ceux où les atteintes aux droits de l'homme constituent en quelque sorte un principe de gouvernement » ; il précisait que « peu nombreux sont en définitive les États où les atteintes aux principes montent à un niveau tel que soient

---

(20) Interview de M. Cot, *Libération*, 19 mai 1982.

impossibles, parce que systématiquement détournés de leurs fins, des rapports de coopération qui s'adressent aux États, et même plus précisément aux peuples, au-delà de leurs gouvernements » (21). Aucun de ces pays n'était nommé, et les appréciations variaient selon les responsables ou selon leur degré d'information. Il ne fut par exemple jamais question de rompre avec Yaoundé, mais pour le militant socialiste de base du congrès de Valence, le régime de M. Ahidjo était celui, éclaboussé de sang, qu'avait phantasmé, plutôt que décrit, Mongo Beti dans un essai très polémique, *Main basse sur le Cameroun.* Pourtant, il était clair que les principaux tests en la matière se déduiraient *a contrario* des choix effectués au cours du septennat précédent, dans ce qu'ils avaient de plus contestable. Outre la République sud-africaine, ce seraient la Guinée, la République centrafricaine, le Gabon, le Zaïre et les Comores, tous pays étroitement associés à la stratégie giscardienne au sud du Sahara, qui serviraient de révélateurs à la sincérité des socialistes. Or, les désillusions survinrent assez vite. Partout, la *Realpolitik* l'emportait. En Centrafrique, il fallut s'accommoder du pouvoir de M. Dacko en s'efforçant de l'infléchir, puis, en septembre, d'un pseudo-coup d'État militaire. Aux Comores, il fallut traiter avec M. Abdallah, dont le régime était considéré comme « illégal (...), mis en place par des mercenaires avec la complicité du gouvernement giscardien » (22). Au Gabon, il fallut composer avec M. Bongo, compte tenu des intérêts en jeu et de son rôle dans la crise tchadienne. En Éthiopie, il fallut, à l'occasion de la visite de M. Cheysson, se rendre en Asmara et réaffirmer le respect des principes « touchant à la souveraineté, l'intégralité territoriale, l'unité et

---

(21) Parti socialiste, « Le Parti socialiste et l'Afrique sud-saharienne », s.l. (Paris), s.d. (1981), multigr., p. 27.
(22) *Ibid.,* p. 24.

l'inviolabilité des frontières de l'État », alors que le Parti socialiste « reconnaît le fait national érythréen et le droit de ce peuple à l'autodétermination, entretient des rapports amicaux et suivis avec le FPLE et appuie sa proposition de référendum d'autodétermination » (23). Surtout il fallut rendre à M. Mobutu, de la main droite, ce qu'on lui avait retiré de la gauche en convoquant à Paris la conférence franco-africaine initialement prévue à Kinshasa : dès la fin septembre, Guy Penne annonçait, à l'issue d'un séjour au Zaïre, un renforcement de la coopération franco-zaïroise dans tous les domaines ; en novembre, M. Mobutu participait, aux côtés de MM. Mitterrand et Houphouët-Boigny, à la conférence de presse de clôture de la rencontre franco-africaine et se voyait chargé de la prochaine réunion ; de surcroît, il jouait habilement aux utilités, envoyant ses troupes au Tchad dans le cadre de la force interafricaine.

Une telle distorsion entre les intentions et les réalités allait engendrer faux pas et dissonances. La démarche de Jean-Pierre Cot, du Parti socialiste ou des militants d'autres organisations concernées se trouvait de plus en plus en porte-à-faux par rapport à la stratégie définie à l'Élysée. Un clivage majeur s'installait, qu'il serait néanmoins simpliste de réduire à une opposition entre le parti ou la rue Monsieur, d'une part, et la Présidence, de l'autre : bien des hommes étaient à cheval sur ces pôles de pouvoir. Il s'agissait plutôt de contradictions quasi mécaniques, chaque initiative de *Realpolitik* appelant une contre-initiative « de principe » et la politique africaine de la France se transformant progressivement en une cacophonie de soubresauts

---

(23) *Ibid.*, p. 22 et, pour le communiqué franco-éthiopien, AFP, *Bulletin quotidien d'Afrique,* 3-4 janvier 1982. La cinquième proposition du candidat Mitterrand préconisait également « le soutien au droit à l'autodétermination de l'Érythrée et du Sahara occidental ».

pour le plus grand bénéfice de ses adversaires. On disait plaisamment qu'aux yeux des chefs d'État francophones, « Penne c'est le Père Noël, Cot c'est le père fouettard » (24). De fait, le premier passait pour infirmer maintes décisions du second, en réponse à des démarches pressantes de certaines capitales sud-sahariennes. Dans ce contexte, divers incidents, habilement exploités par l'opposition, donnèrent une impression pénible d'incohérence (25). En février, quelques semaines après la visite officielle de Claude Cheysson, le Parti socialiste provoquait une crise momentanée avec Addis-Abeba en réitérant son soutien à la résistance érythréenne. Au même moment, Jack Ralite, ministre communiste de la Santé, intervenait d'une manière très peu protocolaire auprès de son homologue camerounais en faveur d'un prisonnier politique (26). Par ailleurs, l'entourage de Jean-Pierre Cot et le Parti socialiste continuaient de recevoir des opposants africains qui en faisaient la demande ou qu'ils connaissaient depuis longtemps et d'exhorter les régimes les plus autoritaires — notamment ceux du Gabon et de Centrafrique — à s'assouplir, voire à évoluer vers le multipartisme. Or Ange Patassé, de retour à Bangui, se réfugia à l'ambassade de France après une vaine tentative de coup d'État et se réclama d'entretiens qu'il assurait avoir eus avec Lionel Jospin et des membres du cabinet de Jean-Pierre Cot ; Guy Penne dut s'employer à résoudre « à chaud » cette situation très

---

(24) *Le Matin,* 19 mai 1982 et *Nouvel Observateur,* 22 mai 1982, p. 51.

(25) Voir notamment J.-C. Pomonti, « La France et l'Afrique. Les principes face aux réalités », *Le Monde,* 7 avril 1982 ; J. Ficatier, « La France a mal à l'Afrique », *La Croix,* 11 mars 1982 ; J.-M. Kalflèche, « Rien ne va plus entre la France et l'Afrique », *Le Quotidien de Paris,* 31 mars 1982 ; R. Backmann, « Afrique : le double objectif de Mitterrand », *Nouvel Observateur,* 22 mai 1982.

(26) J.-M. Kalflèche, « Quand Jack Ralite s'intéresse au Cameroun », *Le Quotidien de Paris,* 31 mars 1982.

embarrassante (27). De même, le 21 mars, un Gabonais pénétra dans le jardin de l'ambassade de France à Libreville, arguant de ses conversations avec l'état-major socialiste et de son appartenance au MORENA pour demander l'asile politique ; contrairement à Ange Patassé, dont la France obtint, non sans mal, qu'il pût s'exiler au Togo, il fut apparemment livré aux services de sécurité de son pays (28).

Le premier voyage officiel de M. Mitterrand en Afrique noire, du 19 au 26 mai, se devait de dissiper l'image d'impuissance, d'inhabileté et de reniement qui se dégageait de ces péripéties.

Reprise en main et continuité

A dire vrai, l'option personnelle de M. Mitterrand était nette depuis la conférence de Paris, au mois de novembre. « Incontestablement, la continuité l'emporte sur le changement », avaient alors relevé la plupart des observateurs (29). Le voyage présidentiel réaffirmait cette permanence, et par là même l'autorité de l'Élysée sur la politique africaine de la France, tout en lui imprimant une marque de gauche. Le choix du Niger, de la Côte-d'Ivoire et du Sénégal, complété par deux brèves escales, l'une à Alger à l'aller, l'autre à Nouakchott au retour, était en soi significatif et fut explicité

---

(27) F. Soudan, « Centrafrique : les dessous d'un putsch manqué », *Jeune Afrique*, 17 mars 1982 et « Les militaires malades de Patassé », *ibid.*, 24 mars 1982.
(28) J.-M. Kalflèche, « Rien ne va plus entre la France et l'Afrique », *Le Quotidien de Paris*, 31 mars 1982.
(29) J.-F. Médard, « Le changement dans la continuité. La Conférence des chefs d'État de France et d'Afrique (Paris, 3 et 4 novembre 1981) », *Politique africaine*, 5, février 1982, p. 32. Cf. également « Un entretien avec M. Mitterrand à l'occasion du sommet de Paris », *Le Monde*, 4 novembre 1981.

par les déclarations officielles. Comme auparavant, la priorité serait accordée au « pré carré » de la francophonie, l'accent étant mis sur la solidarité, la sécurité et le « co-développement, mutuellement bénéfique ». Ce dernier thème, mis en exergue à Niamey et surtout à Abidjan, détonnait heureusement avec l'indifférence, voire le lâchage dont M. Houphouët-Boigny accusait le septennat précédent.

En revanche, M. Mitterrand cédait sur deux points cruciaux dans l'optique du renouvellement de la politique africaine de la France. Après les faux pas de l'hiver, il n'était certes pas inutile de confirmer qu'il n'y aurait pas de « Barracuda de gauche » en visitant le Niger, dirigé par un pouvoir militaire il est vrai très présentable et dont le président avait été le premier chef d'État africain à se rendre à Paris après le 10 mai. La France, fût-elle de gauche, traitait avec des États, non avec des régimes. Mais en renonçant à prononcer à Saint-Louis le discours annoncé sur les droits de l'homme et la démocratie en Afrique, en se bornant à une phrase plate sur l'engagement de la France en faveur des « droits élémentaires de la personne », M. Mitterrand ne jetait-il pas le bébé avec l'eau du bain, « pour ne pas, dit-on, froisser les deux pays précédemment visités qui auraient pu se sentir visés » (30) ? Quand un journaliste lui avait demandé quel était à ses yeux le principal infléchissement de la politique africaine de la France depuis l'arrivée au pouvoir de la gauche, M. Cot avait répondu : « Si nous avons changé quelque chose, c'est de faire (qu'elle) soit l'application en Afrique de la vision d'ensemble de la France vis-à-vis du Tiers monde. Et nous retrouvons la même idée directrice pour l'Afrique (...) que celles qui

---

(30) P. Haski, « Mitterrand à St-Louis : une visite préfectorale », *Libération*, 26 mai 1982. Le texte officiel parle des « droits sacrés » de la personne.

sont avancées dans le discours de Cancun (...). Je crois que c'est cela la principale différence : nous mettons nos actes africains en accord avec nos déclarations mondiales » (31). Le démenti des faits était cinglant, et en réalité peu surprenant. Déjà en novembre, au sommet de Paris, M. Mitterrand n'avait pas « adressé aux peuples d'Afrique (...) le même discours que celui qu'il avait adressé aux peuples d'Amérique latine, à Cancun » (32). Une occasion avait été perdue, qui ne se représenterait pas. La droite avait beau jeu d'ironiser sur les rodomontades de la diplomatie mitterrandienne en Amérique centrale, là où, disait-elle, les intérêts français étaient inexistants.

Par ailleurs, la réforme des structures de coopération paraissait avorter. Dès décembre 1981, la mise sous le boisseau du projet initial d'une agence de coopération, responsable de la totalité de la politique française du développement, au profit d'une simple délégation rattachée à Matignon, avait pu désappointer. Après de nombreuses difficultés d'ordre technique, dues en partie aux immixtions de celle-ci et des conseillers de la Présidence, un texte sur la réorganisation du ministère de la Coopération et du développement, lui donnant compétence sur l'ensemble des pays du Tiers monde, avait été adopté par le Conseil des ministres, le 18 mai. D'une façon inopinée, M. Mitterrand refusa de l'avaliser à son retour d'Afrique, probablement sous la pression des pays francophones qu'il avait visités (33). La réforme, largement amendée, fut en définitive publiée au *Journal officiel* fin juillet, mais sans paraphe présidentiel, sous la signature du seul Premier

---

(31) Interview de Jean-Pierre Cot, *Libération*, 19 mai 1982.
(32) J.-F. Médard, *art. cit.*, p. 34.
(33) *Le Monde*, 6-7 juin 1982 ; *Le Quotidien de Paris*, 7 juin et 10 juin 1982.

ministre (34). Les prétentions originelles du gouvernement marquaient le pas. Elles avaient peut-être entraîné
plus de malaise que de satisfaction. Hormis même le
poids dont le surcoût du gaz algérien grevait le budget
de la coopération, les pays sud-sahariens s'irritaient de
ce que la France ne leur concédât pas d'avantages simi-
laires. Les mesures concrètes qui furent prises en
matière de co-développement, tel l'accord de prix
assorti d'une garantie d'enlèvement portant sur l'ura-
nium nigérien, ne pouvaient faire oublier l'impuissance
de Paris à résoudre, par exemple, la question des cours
du cacao dans le cas de la Côte-d'Ivoire ou le problème
de la rentabilité d'une éventuelle exploitation de la
bauxite de Minim-Martap et du gaz de Kribi dans
celui du Cameroun. S'il sonnait agréablement aux
oreilles d'un Houphouët-Boigny, le plaidoyer français
en faveur du Tiers monde, à l'occasion du sommet de
Versailles, se heurtait à l'intransigeance de l'administration Reagan et n'en rendait que plus pénibles les effets
de la deuxième dévaluation qui alourdissait d'autant la
partie libellée en dollars de la dette extérieure des pays
de la zone franc. En outre, l'ouverture que M. Cot
souhaitait opérer sur le reste de l'Afrique et du Tiers
monde, non sans insister sur la priorité que gardaient
les partenaires francophones traditionnels, inquiétait
ceux-ci, un peu inutilement dans la mesure où ce redéploiement était financièrement impossible et où le
Conseil restreint du 8 juin 1982 se borna à inscrire
quelques interventions du Fonds d'aide et de coopération dans les « petites Antilles ».

Surtout, la dimension politique inhérente au projet
de la rue Monsieur se trouvait de plus en plus réfutée

---

(34) *Le Monde*, 4 août 1982. Dans la pratique institutionnelle française, la
signature de certains décrets par le président de la République leur confère un
poids politique particulier. La délégation interministérielle allait elle-même être
supprimée en mars 1983.

par la démarche définie à l'Élysée. Le camouflet infligé d'une manière à peine voilée à son ministre par M. Mitterrand témoignait de l'aggravation de la contradiction que les incidents de l'hiver avaient révélée. Les dossiers les plus brûlants du jour tinrent lieu de détonateur.

En juin, M. Cot se rendait en visite officielle en République centrafricaine. Voyage délicat, dans la mesure où le ministre de la Coopération s'était déjà heurté au général Kolingba en lui préconisant d'une façon pressante des mesures drastiques de compression de la fonction publique et en entendant réduire le nombre de coopérants militaires qui lui étaient détachés. Par ailleurs, la grave tension qu'avait provoquée l'affaire Patassé, en mars, avait mis à jour un « parti » plus dur et nationaliste, mené par le colonel Diallo, chef de la gendarmerie ; le général Kolingba devait donc jouer serré. Or le ministère de la Coopération suspendit le 30 juin la paie des fonctionnaires centrafricains en nombre pléthorique tandis que Jean-Pierre Cot conseillait à Bangui un « nécessaire retour à un gouvernement civil ». Circonstance aggravante, Abel Goumba, opposant de longue date à David Dacko et à Jean-Bedel Bokassa, dont les liens avec les socialistes français étaient notoires, était placé à la table d'honneur lors de la réception de Jean-Pierre Cot à l'ambassade de France. La riposte des militaires centrafricains ne se fit pas attendre. Le 17 août, M. Goumba était arrêté à la suite de la découverte de « documents subversifs » sur la personne de M. Endjimougou, secrétaire général d'un parti interdit, le FPQ-PT ; ces documents, assurait-on, mettaient en cause non seulement M. Goumba mais aussi « le chef d'un parti politique étranger non précisé » — M. Jospin pour qui croyait lire entre les lignes mais il s'agissait en fait de M. Bellon, vice-président de la commission des Affaires étrangères de l'Assemblée nationale. Survenant six mois après la tentative de coup d'État de M. Patassé, l'affaire était d'autant plus fâcheuse que nombre des soutiens de ce dernier passaient pour avoir rallié le FPQ-PT. En outre, chacun s'interrogeait à Bangui et à Paris sur l'origine des fonds qui permettaient au gouvernement militaire de rémunérer ses fonctionnaires, ou plutôt y voyait la main du colonel Kadhafi, désireux de prendre une revanche centrafricaine sur ses déboires tchadiens. De fait, à l'automne, une mission libyenne d'une cinquantaine de conseillers débarquait à Bangui. Le 25 octobre, lors de la visite à Paris qu'il était parvenu à obtenir tout à la fois de l'Élysée et de son propre gouvernement militaire, le général Kolingba avait dû s'engager auprès de MM. Hernu et Cheysson à limiter cette présence à une soixantaine de jours. Or, le 26 novembre, en l'absence de MM. Mitterrand, Cheysson et Penne, M. Cot reçut un télégramme alarmiste de l'ambassadeur de France à Bangui, lui signalant un accroissement sensible de l'aide et de l'influence libyennes ; la protestation du ministre de la Coopération auprès du général Kolingba fut contrée *in extremis* par M. Penne quand celui-ci en fut averti à Abidjan (35).

Sur le problème du Tchad, Jean-Pierre Cot se retrouva également isolé pendant l'été. Face à l'offensive des FAN de M. Hissène Habré, le GUNT, qui n'avait pas le soutien de l'OUA et n'était plus protégé par le parapluie de la force interafricaine, n'avait offert aucune résistance. Ndjamena était ainsi tombée en juin. D'emblée la France s'était déclarée disposée à proroger

---

(35) Sources : entretiens ; J.-C. Pomonti, « Les relations de la France avec le Centrafrique et le Tchad se détériorent », *Le Monde,* 31 août 1982 ; J. Canard, « Comment faire sauter un ministre », *Canard enchaîné,* 15 décembre 1982 ; F. Soudan, « Réalisme oblige », *Jeune Afrique,* 20 octobre 1982 et « Départ de Cot : les Africains y gagnent-ils ? », *ibid.,* 22 décembre 1982.

son aide à l'État tchadien, nonobstant le gouvernement qui le dirigeait ; un nouvel accord de coopération avait été signé en juillet. Pourtant, M. Hissène Habré ne pouvait nourrir d'illusions excessives à l'endroit d'une gauche qui lui avait toujours été hostile. Il soupçonnait la France de lui compliquer la tâche dans la partie difficile qu'il menait pour prendre le contrôle du Sud et de lui mesurer son aide financière, dans l'espoir d'éviter son accession à la magistrature suprême. En août et en septembre, des manifestations « populaires » violemment antifrançaises furent organisées ; M. Cot exigea leur cessation immédiate. Celui-ci, néanmoins, était favorable à une attitude de fermeté à l'égard de la Libye qui, peu ou prou, passait par un appui à M. Habré. L'Élysée, au contraire, paraissait soucieux de trouver un compromis avec Tripoli et de nuancer la victoire des FAN en patronnant leur négociation avec le principal leader sudiste, le colonel Kamougué. Une fois de plus, ce furent les armes qui tranchèrent. M. Hissène Habré sut très habilement profiter des divisions du Sud pour s'en emparer et M. Mitterrand dut reconnaître sa légitimité lors du sommet franco-africain de Kinshasa, en octobre. Le président de la République contrecarra pourtant la proposition de M. Cot de lui livrer du matériel militaire dans l'attente d'une reprise probable des hostilités à l'initiative du nouveau gouvernement provisoire de Bardaï, dirigé par M. Goukouni (36).

D'autres échéances plaçaient le ministre de la Coopération dans une position inconfortable. A l'approche de la conférence de Kinshasa, la gauche était sommée

---

(36) Sources : entretiens ; J.-C. Pomonti, « Les relations de la France avec le Centrafrique et le Tchad se détériorent », *Le Monde,* 31 août 1982 ; J. Canard, « Un rejeton de présence », *Canard enchaîné,* 15 décembre 1982 ; F. Soudan, « Réalisme oblige », *Jeune Afrique,* 20 octobre 1982 ; J.-P. Cot, *op. cit.,* pp. 148 et suiv. Notons, pour la petite histoire, que M. Habré avait été l'étudiant de M. Cot à Sciences Po.

de s'expliquer sur son attitude à l'égard du régime de M. Mobutu. Préciser, comme le faisait l'Élysée, que M. Mitterrand se rendait à une conférence franco-africaine, et non en visite officielle au Zaïre, noyer ce déplacement au sein d'une tournée auprès de trois autres pays (Rwanda, Burundi, Congo-Brazzaville) ne pouvait suffire à qui avait adhéré avec fougue à la cause des droits de l'homme. Dans une interview à *Jeune Afrique*, M. Cot exprima donc le peu de considération qu'il portait sur ce point à M. Mobutu, tout récemment autopromu maréchal (37). La presse faisait pareillement savoir qu'il était opposé à la réception de Sékou Touré à Paris, en septembre, et ce fut, semble-t-il, contre son gré qu'il fut tenu d'y assister. Enfin, en octobre, un tour de table au sein du Conseil de politique nucléaire, relatif à la livraison de réacteurs supplémentaires à l'Afrique du Sud, rappela que plusieurs membres du gouvernement n'étaient pas hostiles à cette éventualité, même si celle-ci ne se présentait pas dans l'immédiat (38).

D'une façon encore plus aiguë, la conception angélique de la coopération que M. Cot partageait plus ou moins se heurtait aux dures réalités de l'autonomie politique des partenaires africains de la France et, en ces temps où M. Mitterrand, à Figeac, redécouvrait l'entreprise, des lois de l'économie de marché. Ainsi, Guy Penne fit octroyer au Burundi des crédits destinés à un projet de télévision en couleur, pour le plus grand plaisir de Thompson et pour la plus grande irritation de la rue Monsieur, hostile au dossier. Quelques semaines plus tard, M. Cot, saisi à la fin de l'été d'un projet gabonais d'institut polytechnique, évalué à la bagatelle de 500 millions de francs par la SODETEG

---

(37) Interview de J.-P. Cot, *Jeune Afrique*, 4 août 1982.
(38) B. Dethomas, « La fourniture éventuelle de réacteurs nucléaires à l'Afrique du Sud divise le gouvernement », *Le Monde*, 9 décembre 1982.

(filiale de Thompson...), le refusa et en avertit M. Bongo par une lettre du 2 novembre ; dès le 17, le président gabonais s'en plaignait auprès de l'Élysée, s'étonnant qu'un ministre pût être « en contradiction avec les intérêts des entreprises françaises » (39).

La marginalisation croissante de la philosophie originelle de la coopération qu'avait voulu mettre en œuvre le gouvernement de M. Mauroy, traduisait la concentration de la prise de décision à la présidence de la République. Cette évolution était inévitable dès lors que l'on avait jugé utile de conserver à l'Élysée un conseiller spécialement chargé des relations avec l'Afrique. Elle revêtit toutefois une ampleur singulière à partir du moment où M. Mitterrand accepta que son fils Jean-Christophe secondât Guy Penne, tout d'abord d'une façon informelle, puis d'une manière officielle. Le ministre de la Coopération, qui avait exercé un rôle de premier plan et, chose inédite sous la Ve République, de nature politique, put constater au fil des semaines que l'essentiel de ses prérogatives lui échappait et que maintes de ses initiatives étaient neutralisées. L'amoindrissement de sa position était d'autant plus patent que de nombreux chefs d'État africains, indisposés par sa démarche, préféraient s'adresser directement à l'Élysée et que « Jean-Christophe » confiait volontiers ses propres réticences (40). Jean Audibert, le directeur de cabinet de M. Cot, qui avait probablement envisagé de devenir le « Monsieur Afrique » de la gauche, s'était lourdement trompé en maintenant ses vues ; il dut se retirer pendant l'été.

---

(39) J. Canard, « Comment faire sauter un ministre », *Canard enchaîné*, 15 décembre 1982 et J.-C. Pomonti, « Une mésaventure », *Le Monde*, 9 décembre 1982.

(40) J. Canard, « Un rejeton de présence », *Canard enchaîné*, 15 décembre 1982 ; A.E. Moutet, « Son rises in Africa », *Sunday Times*, 12 décembre 1982 ; F. Soudan, « L'autre Mitterrand », *Jeune Afrique*, 27 avril 1983 et « Départ de Cot : les Africains y gagnent-ils ? », *ibid.*, 22 décembre 1982.

Dans ce contexte de divergences de fond et de conflits de compétence, la proposition que M. Mauroy fit à M. Cot, de lui confier l'ambassade de Madrid, sonnait comme une disgrâce que le ministre eut la dignité de refuser, sans pour autant démissionner. Son poste fut en définitive laissé vacant, avant d'être attribué à Christian Nucci, un fidèle de M. Mitterrand (41). La signification de l'épisode était claire à un égard : comme le titra un hebdomadaire, « Mitterrand succède à Cot » (42). Du point de vue du contenu et de l'orientation de la politique africaine de la France, elle apparaissait moins évidente bien que la presse y vit un triomphe des « réalistes » sur les « idéalistes » et que plusieurs organisations concernées renouvelèrent leur attachement à cette « autre idée de l'action de la France pour le développement » (43). M. Mitterrand se défendit de ces interprétations, niant l'existence de tout désaccord sérieux entre son ministre et lui-même, s'étonnant de son départ et se situant quant à lui « entre Alceste et Philinte » sur la difficile question des droits de l'homme (44).

Ce plaidoyer *pro domo* mérite à tout le moins qu'on s'y arrête et qu'on le juge sur pièces car il ne manque pas entièrement de crédibilité. Sur bien des points, il y aura continuité de la période 1981-1982 à la période 1983-1984. Tout d'abord, les thèses en présence n'étaient pas entièrement inconciliables et plusieurs des membres du cabinet de M. Cot demeureront d'ailleurs quelque temps aux côtés de M. Nucci. Ce dernier gar-

---

(41) Sur la chronologie de la démission de M. Cot, cf. « La mare aux canards », *Canard enchaîné*, 15 décembre 1982 et F. Soudan, « Départ de Cot : les Africains y gagnent-ils ? », *Jeune Afrique*, 22 décembre 1982.

(42) P. Simonnot, « D'un colon l'autre : Mitterrand succède à Cot », *Tel*, 16 décembre 1982.

(43) *Le Monde*, 15 décembre 1982.

(44) J.-M. C., « La France, l'Afrique et le Tiers monde. Entre Alceste et Philinte... », *Le Monde*, 19 décembre 1982 et « La mare aux canards », *Canard enchaîné*, 15 décembre 1982.

dera les grandes orientations de son prédécesseur en matière de coopération quoiqu'il affichât d'emblée à leur endroit la brutalité qui lui servira de style politique : « Qu'est-ce que cela veut dire, toutes ces formules (de co-développement, de développement autocentré) ? J'ai essayé d'interroger des gens autour de moi, personne n'a pu me répondre. On ne fait pas de la coopération avec des formules mais avec des hommes qui se voient, qui s'apprécient, avec des contacts humains (...). Il faut être simple, concret, réaliste, si vous voulez » (45). En outre, les vues présidentielles, en ce qu'elles accordaient la priorité à la dimension géo-politique sur la sensibilité plus tiers mondiste de la rue Monsieur, l'avaient emporté très tôt, dès le premier été et en tout cas dès le sommet franco-africain de Paris ; à l'inverse, M. Cot ne déploya jamais sa conception de la coopération dans toute sa logique et il n'était nullement fermé aux considérations géo-politiques, ainsi qu'en témoignaient son attitude envers la Libye au Tchad et en Centrafrique ou sa reconnaissance du « fait » francophone.

Le départ de M. Cot levait donc plutôt une double hypothèque. Hypothèque d'une autre politique possible à l'égard de l'Afrique subsaharienne — et il dévoilait des lignes profondes de permanence, qu'un intermède aussi généreux que brouillon avait dissimulées plus que réellement remises en cause. Hypothèque, ensuite, d'une multiplicité de centres de décision. Toute ambiguïté sur le lieu exact de l'élaboration de la politique africaine de la France était désormais dissipée, M. Nucci étant on ne peut plus net à ce sujet : « Le président l'a dit et répété : c'est lui et lui seul qui,

---

(45) Interview de M. Nucci, *Jeune Afrique*, 13 avril 1982. Un an plus tard, M. Nucci précisera à l'intention des mêmes journalistes : « (...) Beaucoup des orientations majeures ont été tracées par mon prédécesseur, J.-P. Cot, et j'y adhère totalement » (Interview de M. Nucci, *Jeune Afrique*, 28 décembre 1983).

après consultation, détermine les axes de notre politique extérieure. Moi, j'applique. Tout cela est d'une simplicité absolue et je n'ai aucun drame de conscience à ce sujet » (46). De son côté, le chef de l'État déclarait à Libreville : « C'est moi qui détermine la politique étrangère de la France, pas mes ministres (...) Il n'est pas interdit aux ministres de penser ou d'avoir une opinion (...). Il n'est pas concevable qu'une politique soit mise en œuvre sans mon accord, plus exactement sans mon impulsion » (47). Apparaissait ainsi au premier plan le projet mitterrandien des relations franco-africaines.

---

(46) *Ibid.*, 13 avril 1982.
(47) Cité par J.-C. Pomonti, « M. Mitterrand entend dédramatiser les relations franco-africaines », *Le Monde*, 20 janvier 1983.

II

AMATEURISME
ET GRAND DESSEIN

Le président de la République, en effet, n'était pas un nouveau venu sur la scène africaine. En tant que ministre de la France d'outre-mer, il avait « personnellement sorti du bagne ou de la prison sept futurs présidents de la République » et, à la veille des élections de 1981, il croyait que sa contribution à « l'évolution pacifique de l'Afrique noire » était, « avant la période de l'Union de la gauche, celle de (ses) actions qui aura vraiment compté dans l'histoire contemporaine de notre pays » (1). Dans les années cinquante, il avait engagé un pari explicite et stratégique sur l'Afrique. « (...) Notre opiniâtre maintien en Indochine (...) nuit à notre perspective africaine, la seule valable », écrivait-il alors, plaidant pour une « France eurafricaine » dont l'islam était voué à être une composante majeure. Sa perspective était crûment « néocoloniale ». Elle consistait sans gêne aucune en un redéploiement des intérêts de la France à l'échelle mondiale grâce au maintien de sa prépondérance sur le continent car, était-il postulé, « la France du XXIe siècle sera africaine ou ne sera pas » : « le pré carré français a pour capitales Paris, Alger, Dakar et Brazzaville ». Cette démarche s'apparentait en quelque sorte à une stratégie de modernisation conservatrice (« tout changer pour que tout reste pareil ») dont l'axiome, un peu

---

(1) F. Mitterrand, *Politique 2. 1977-1981*, Paris, Fayard, 1981, pp. 11-12. Une confidence de l'auteur ne manque pas de saveur aujourd'hui : « (...) le ministre de la France d'outre-mer était le seul maître à bord, auquel le gouvernement ne demandait aucun compte ! Cela tenait au fait singulier que ce ministère étant de création récente, son titulaire siégeait en bout de table au Conseil des ministres : la chronologie fait la hiérarchie. Comme les ministres les plus anciens, donc plus importants, n'en finissaient jamais d'épuiser leur ordre du jour, quand on arrivait à mon tour, on remettait au mercredi suivant... » Voilà qui eût comblé d'aise Jean-Pierre Cot !

facile mais pas forcément faux, était la complémentarité des intérêts de la France et de l'Afrique, en une époque où « (le nationalisme) doit disparaître » sous peine d'une « Troisième Guerre mondiale », en une époque également où « l'Asie va déverser (...) ses masses innombrables » (2). Cependant, on ne peut dénier à ce « grand dessein » l'amplitude que lui conféraient une acerbe critique des « politiques de force », une dénonciation véhémente des « voyous arrogants qui fermaient leurs hôtels et leurs restaurants à la peau noire », un rejet du « nationalisme primaire, privé de tout contexte historique » (3).

A la lumière de ces propos, le problème de la politique africaine menée depuis 1981 se présente sous un jour différent. On s'est gaussé de ce que M. Mitterrand se soit placé dans la continuité de ses prédécesseurs. Il serait plus juste de dire que ceux-ci ont assumé la voie que M. Mitterrand avait ouverte en 1951, en obtenant la rupture entre le Rassemblement démocratique africain et le Parti communiste français, et que M. Defferre avait entérinée en présentant sa loi-cadre de 1956. La vraie continuité est plus ancienne que ne le dit la droite, elle va de M. Mitterrand au général de Gaulle (4) et à ses successeurs. Contrairement au choix opéré en Grande-Bretagne, il y eut en France quasi-consensus — à l'exception de la droite « cartieriste » vers 1960 et de l'extrême-gauche — pour jouer cette carte. Et M. de Guiringaud plagiait un ancien ministre

---

(2) F. Mitterrand, *Aux frontières de l'Union française. Indochine, Tunisie.* Lettre préface de P. Mendès-France, Paris, Julliard, 1953, pp. 23, 170, 178-179, 181, 31.

(3) F. Mitterrand, *Présence française et abandon,* Paris, Plon, 1957, pp. 33, 174 et 179-180. Cf. également F. Mitterrand, *Politique,* Paris, Fayard, 1977, pp. 52-70, 83-90, 132-133, 136-137, 144-148, 163-165.

(4) Cf. F. Mitterrand, *Politique 2, op. cit.,* pp. 7-9 et 11. F. Mitterrand reproche néanmoins à la Constitution de la Vᵉ République d'avoir rendu « stupidement incompatible la notion d'indépendance et la notion de communauté de telle sorte que toutes les indépendances africaines ont été proclamées malgré ou contre de Gaulle ».

de la France d'outre-mer quand il affirmait emphatiquement : « L'Afrique est le seul continent qui soit encore à la mesure de la France, à la portée de ses moyens. Le seul où elle peut encore, avec 500 hommes, changer le cours de l'histoire » (5). Ce pari africain, M. Mitterrand et avec lui le Parti socialiste continuaient d'y adhérer en 1981, comme le fait observer K. Whiteman : « *The primacy of Africa was, in any case, implicit in the very idea of the Socialist Party's Africa Project which (...) seems to accept as self-evident the need for a high profile* » (6).

Est-ce à dire que le tiers-mondisme des premiers pas, dont M. Cot est réputé avoir été le principal porte-parole, fut pure hypocrisie, travestissement idéologique d'un néo-colonialisme banal ? Ou encore que les tiers-mondistes de la majorité furent abusés par le cynisme présidentiel ? L'analyse serait trop courte. Tout donne à penser que M. Mitterrand se reconnaissait dans la générosité de ce discours et que le divorce s'opéra sur les aspects relativement secondaires que nous avons évoqués. Dans son esprit, la revendication d'un nouvel ordre économique mondial avait sans doute pris le relais de la critique du colonialisme et la prolongeait. Elle était sincère, en même temps qu'elle représentait un atout diplomatique pour affirmer la présence de la France dans le Sud ; il était significatif de cette ambivalence que M. Mitterrand se référât au discours de Phnom-Penh pour protester de la pureté de ses intentions lors du départ de Jean-Pierre Cot (7).

Deux questions viennent alors à l'esprit. D'abord, quelles sont les performances, en termes géopolitiques,

---

(5) *L'Express,* 22 décembre 1979.

(6) K. Whiteman, « President Mitterrand and Africa », *African Affairs* 82 (328), juillet 1983, p. 341. Cf. « Le Parti socialiste et l'Afrique sud-saharienne », s.l. [Paris], s.d. [1981], multigr.

(7) J.-M. C., « Entre Alceste et Philinte... », *Le Monde,* 15 décembre 1982.

de l'application de cette stratégie africaine depuis 1981 ? Ensuite, comment expliquer que la gauche n'ait pas sensiblement renouvelé sa pensée en plus de vingt ans d'opposition et que le changement qu'elle entendait promouvoir ait tourné court si immédiatement ?

Si l'on se cantonne provisoirement à la première interrogation, il convient d'insister sur le fait que la marge de manœuvre de la France, dans la poursuite de sa stratégie africaine, s'amoindrit inexorablement avec le temps. Quand elle est établie, sa prépondérance se trouve battue en brèche par l'arrivée de nouveaux acteurs, que nous avons déjà repérés. De plus, les demandes de l'Afrique sont maintenant trop considérables pour qu'un pays comme la France puisse concevoir d'y répondre seul, *a fortiori* s'il éprouve lui-même des difficultés financières. La crise a frappé les États subsahariens de plein fouet à partir de 1974 et la plupart des budgets tendent à redevenir déficitaires alors que s'alourdissent factures pétrolières et dettes extérieures, que se multiplient difficultés écologiques et alimentaires. Enfin, la France a naturellement pour interlocuteurs des États souverains, des partenaires à part entière, soucieux de leur identité et de leurs intérêts, quelle que soit leur situation de dépendance ; en vingt ans, la latitude d'action de ces pays s'est accrue, en particulier d'un point de vue diplomatique. La gestion d'un « grand dessein » africain revient largement à savoir composer avec ces contraintes, à savoir naviguer au plus près. Il n'est pas sûr que l'Élysée y soit parvenu, même si les prédictions apocalyptiques de l'opposition paraissent pour le moins exagérées.

Lignes de force et de faiblesse

L'on a déjà mentionné que le style personnel de Valéry Giscard d'Estaing, empreint de familiarité, de « copinage » et de « cousinage », avait largement contribué à la crise « morale » qui affectait les relations franco-africaines à la veille de la victoire électorale de la gauche. Il accusait les traits « néo-coloniaux » de la diplomatie subsaharienne de la France et bafouait ceux qui, à l'instar de Julius Nyerere, avaient vu dans l'indépendance une accession à la dignité. De ce style, bien des capitales africaines ne s'accommodaient pas. D'autres s'y complaisaient, en usaient pour maximiser leurs demandes et leurs ressources, et ne s'offusquaient nullement de ce que les relations franco-africaines ne fussent pas vraiment des relations d'État à États. Au vu de ses commentaires quand elle était dans l'opposition, l'on attendait de la gauche qu'elle réparât un tel anachronisme. Jean-Pierre Cot s'y employa avec clarté, et un brin d'innocence qu'il érigeait d'ailleurs en « vertu politique » :

> « *Peut-être François Mitterrand a-t-il estimé préférable de confier ces responsabilités (de ministre de la Coopération) à quelqu'un qui n'était pas pris dans un système de relations avec l'Afrique. Je crois que c'est un choix politique d'avoir mis à la coopération quelqu'un qui n'avait pas d'expérience préalable, d'amitiés particulières, de relations privilégiées (...). D'une manière générale, en politique, les relations personnelles jouent un rôle très important. Il y a toujours l'affectivité, et cela est sans doute particulièrement vrai en Afrique. Le tout est de savoir garder ses distances (...). C'est un élément qui entre en ligne de compte et on voit bien comment, à la limite, cela peut piéger une politique (...). Je n'ai pas l'habitude de tutoyer comme cela des ministres de pays*

étrangers. Il paraît que mon prédécesseur ne s'en privait pas. Moi, ma maman m'avait appris à vouvoyer les gens. Je ne suis pas Africain et je n'ai pas à affecter de l'être sous prétexte que mon travail ministériel m'amène à être en relation avec les Africains (...) ; on n'a plus de "cher parent" ou de "cher cousin". Croyez-moi, ce sont là des changements de fond » (8).

Le départ de Jean-Pierre Cot sonna le glas de cette conception, plus institutionnalisée et politique, des relations franco-africaines. En effet, la cellule élyséenne ne cachait pas qu'elle avait fait un choix autre, pétri de bonhommie quelque peu « rad'soc » et de cette décontraction réputée propre à la jeunesse. Pour Guy Penne comme pour Jean-Christophe Mitterrand, « le contact et les relations personnelles avec les Africains sont préférables aux procédures bureaucratiques, si généreuses soient-elles » (9). Ce disant, ils rejoignaient le président de la République qui réfléchissait ainsi à son rôle historique en tant que ministre de la France d'outre-mer : « Avais-je une conception intellectuelle du devenir colonial ? Bien entendu, je pressentais le mouvement du temps. Mais je suis un empirique dont les idées naissent des faits. J'avais noué en Afrique des rapports humains qui m'ont permis d'avancer plus vite dans la connaissance des choses » (10). Trente ans plus tard, il était clair que M. Mitterrand n'avait pas changé d'approche.

---

(8) Interview de M. Cot, *Jeune Afrique*, 4 août 1982. Cf. également la déclaration de Gérard Fuchs, membre du bureau exécutif du PS et qui « passe, avec d'autres, pour une éminence grise de la politique africaine de la France » : « Nous n'avons pas pour but de remplacer ce réseau financier et politique qui porte encore aujourd'hui l'héritage de la plus pure tradition coloniale française par un autre type de réseau, fût-il de gauche. Nous souhaitons utiliser les canaux diplomatiques normaux » (interview, *Nouvelles littéraires*, 13 mai 1982).

(9) G. Penne, cité par F. Soudan, « L'autre Mitterrand », *Jeune Afrique*, 27 avril 1983.

(10) F. Mitterrand, *Politique 2, op. cit.*, p. 12.

Le remplacement de M. Cot par M. Nucci — qui ne se prive pas de se dire « Africain, né en Afrique » (11) — exagéra jusqu'à la caricature cette priorité accordée aux relations personnelles, dans la mesure où celle-ci tint désormais lieu de politique. Interrogé sur le « plus » qu'il estimait avoir apporté à la coopération par rapport à l'action de son prédécesseur, le nouveau ministre répondait : « J'ai voulu fonder nos relations sur des rapports humains plus étroits, plus directs, plus francs. C'est dans ma nature, inscrit dans mon enfance et mes racines algériennes : j'ai faim et soif de contact, j'ai le goût du travail de terrain, du concret » (12). Et il définissait ainsi sa « conception des droits de l'homme » : « Efficacité avant tout. C'est-à-dire, d'abord, créer un climat de confiance, des relations amicales entre moi et mes interlocuteurs africains. Et ensuite, franchement, entre hommes, s'expliquer. Dire par exemple : "Moi, Nucci, ce que tu fais là, ça me gêne, j'attendais mieux de toi", quitte à ce qu'on me réponde : "Non, Christian, tu ne comprends pas ; il te manque tel ou tel élément d'appréciation", etc. Ça n'est pas spectaculaire, c'est vrai. Mais c'est efficace » (13).

La personnalisation des relations franco-africaines correspond à des réalités humaines indéniables dont on aurait mauvais gré de se plaindre. Après tout, la sympathie véritable est rare sur la scène internationale. Encore faudrait-il qu'elle ne débouche pas sur des comportements ou des fréquentations que l'on est en droit de refuser à un ministre de la République. Ce risque n'est pas toujours évité. Encore faudrait-il que le zèle amical ne tourne pas au mauvais goût. Accueillir des

---

(11) Interview de M. Nucci, *Jeune Afrique,* 13 avril 1982.
(12) Interview de M. Nucci, *Jeune Afrique,* 28 décembre 1983.
(13) Interview de M. Nucci, *Jeune Afrique,* 13 avril 1983. Voir aussi : « Un entretien avec M. Nucci : on ne triche pas avec ses amis », *Le Monde,* 6 avril 1983.

chefs d'État « tropicaux » dans un club Méditerranée, comme à Vittel en octobre 1983, n'était pas des plus délicats et ne fut pas des plus appréciés (14). Par-delà, les inconvénients de ce style, d'un usage diplomatique malaisé, sont multiples. Il est difficile de savoir où s'arrête : M. Mitterrand, dont on soulignera qu'il a allié chaleur et dignité au cours de ses voyages officiels, à l'inverse de son prédécesseur, encourt le reproche, de la part de certains chefs d'État, de ne pas prendre lui-même, suffisamment souvent, le téléphone et de trop se reposer sur son fils Jean-Christophe ou sur Guy Penne pour maintenir ces liens personnels (15)... Par ailleurs, il faut garder à l'esprit que « l'intimité franco-africaine » ne concerne qu'une certaine Afrique — une partie des dirigeants des États francophones — et déplaît souverainement à une autre Afrique, vraisem-blablement majoritaire et en tout cas appelée à le devenir pour des raisons démographiques. Le capitaine Sankara n'est pas le président Bongo, ni le président Eyadema, ainsi que Guy Penne en a fait l'amère expé-rience. Un observateur remarque qu'une « évolution aussi dangereuse que surprenante (a conduit), depuis l'arrivée de la gauche au pouvoir, à négliger (...) les questions de forme dans les relations franco-africaines », alors même que les hommes politiques du continent sont attachés au protocole diplomatique et y voient volontiers « l'expression élémentaire du respect de l'indépendance de leur pays » (16).

Plus grave, la gauche a laissé la question politique,

---

(14) Plusieurs délégations africaines s'en sont émues (*Le Monde*, 4 octobre 1983).

(15) Sources : entretiens.

(16) F. Gaulme, « Les relations franco-gabonaises. Une visite officielle d'une grande portée », *Marchés tropicaux et méditerranéens*, 28 septembre 1984, p. 2367. L'Élysée fait néanmoins valoir que les « visites officielles de travail », systématique-ment préférées aux « visites d'État », ont permis de multiplier les entretiens entre M. Mitterrand et ses pairs africains, grâce à leur protocole allégé.

au sens plein du terme, des droits de l'homme et de la démocratie sur le continent s'étioler en humanitarisme feutré tissé d'interventions discrètes et ponctuelles « au plus haut niveau », en résignation condescendante à l'égard de certains régimes et en complicités inavouables avec d'autres, décevant l'attente de milliers d'Africains qui avaient intensément suivi la campagne électorale de mai 1981 et fêté la victoire de M. Mitterrand comme la leur. Dans le même temps, la perpétuation de relations personnalisées entre les classes politiques française et africaine laissait un maître atout aux réseaux trop spécialisés dont la gauche entendait se débarrasser ; elle dut finalement composer avec eux et, significativement, l'enquête promise sur les manœuvres de désinformation au Tchad, en octobre-novembre 1981, a été étouffée (17).

Personnalisation et pratiques occultes : le changement n'y a évidemment point gagné, mais on sait maintenant que là n'est pas l'essentiel. En revanche, ces lignes de continuité hypothèquent la maturation et la plasticité de la politique africaine de la France, contribuent à gêner son adaptation aux contraintes nouvelles de l'environnement international. En particulier, elles ont déséquilibré d'une façon préoccupante le choix de ses partenaires privilégiés au sud du Sahara.

Si l'on excepte le cas du Sénégal, dont les dirigeants entretiennent avec les responsables politiques français des relations personnelles qui sont simultanément des relations pleinement politiques — par l'intermédiaire de l'Internationale socialiste —, ce sont les régimes patrimonialistes les plus éloignés d'une conception de la res publica, les moins institutionnalisés, les plus identifiés à une personnalité dominante, souvent

---

(17) F. Soudan, « Les espions français en Afrique », *Jeune Afrique*, 28 avril 1982 et « Enquête sur une agence au-dessus de tout soupçon », *ibid.*, 10 février 1982.

les plus prédateurs et les plus répressifs à l'égard de leurs sociétés respectives, qui se sont imposés comme les grands bénéficiaires de la politique africaine de M. Mitterrand (18). Cela n'est pas grave en soi pour ce qui concerne la Côte-d'Ivoire car M. Houphouët-Boigny encourt moins que d'autres les dernières accusations, peut se targuer d'un bilan appréciable quelles que soient les difficultés actuelles de son pays, et est une figure historique hors pair. Cela laisse perplexe quand il s'agit de M. Bongo mais on peut également créditer celui-ci de certaines de ses réalisations. Cela est inquiétant dans le cas de régimes moins responsables, voire plus destructeurs comme ceux de MM. Mobutu, Eyadema, Sekou Touré. Or ces hommes sont parvenus à exercer le leadership des relations franco-africaines, dictant à Paris, par une pression constante, une politique très marquée. Ils obtinrent ainsi l'engagement militaire au Tchad lors de la crise de juin-août 1983, et, au sommet de Vittel, deux mois plus tard, ils tentèrent d'entraîner M. Mitterrand à soutenir M. Habré au-delà de ce qu'il souhaitait, prenant le risque de faire capoter la réunion et d'indisposer d'autres pays comme le Bénin ou le Congo (19). La capacité de négociation de ces patrimonialismes, disposant de la totalité des ressources de leurs pays, est en elle-même redoutable. En se prêtant au jeu de la familiarité, l'Élysée accroît sa vulnérabilité. M. Bongo est passé maître dans ce qu'il faut se résigner à appeler ce type de chantage politique, lorgnant vers Washington dès avant le 10 mai 1981 et proclamant à qui veut l'entendre : « Le Gabon, croyez-moi, est une belle fille, très jolie, très belle, à

---

(18) Sur cette notion de régime patrimonialiste, cf. J.-F. Bayart, « Les sociétés africaines face à l'État », *Pouvoirs*, 25, avril 1983, pp. 31 et suiv.

(19) F. Chipaux, « L'impasse au Tchad inquiète les alliés africains de la France », *Le Monde*, 1ᵉʳ octobre 1983 et P. Haski, « Vittel : comment les amis d'Habré ont tenté de pirater le sommet », *Libération*, 6 octobre 1983.

qui tous les hommes veulent faire la cour. Alors, c'est
là qu'il faut faire attention, parce qu'un ami de perdu,
dix de retrouvés » (20). Les gains de cette démarche
sont considérables, politiques autant qu'économiques,
même s'il faut ajouter en toute justice que M. Bongo
sait aussi céder dans une négociation pourvu qu'elle
soit « amicale » (21) : départ de M. Cot, aide au développement, multiples visites de conseillers du Président
et jusqu'à celle de M. Mauroy en avril 1984 au titre de
« réparation » pour le dommage causé par la publica-
tion du livre de Pierre Péan, entraves à la liberté
d'action de l'opposition en exil, projet de livraison
d'un équipement nucléaire, visite officielle d'État
naguère refusée à M. Shagari. De même le général
Eyadema, s'appuyant sur son « amitié » avec « Jean-
Christophe » et rendant quelques menus services —
comme, en 1982, l'accueil à Lomé d'Ange Patassé,
réfugié dans l'ambassade de France à Bangui ou, en
1984, celui de militants basques expulsés de France —,
est devenu un partenaire prisé de M. Mitterrand, qui
lui accorda une légitimation assez indécente en participant à la célébration de l'assassinat de Sylvanus
Olympio et du renversement du président Grunitzky,
deux événements fondateurs du régime (22). Mais les

_____

(20) *Libération,* 3 novembre 1981. Cf. également les interviews de M. Bongo,
Club de la Presse du Tiers monde, Radio France Internationale, 30 janvier 1984
(MFI 840202) ; *Magazine-Hebdo,* 30 septembre 1983 ; *Découvertes,* Europe 1,
24 janvier 1984.

(21) Le 17 août 1982, G. Penne, J.-C. Mitterrand et G. Beauchamp convain-
quirent M. Bongo de renoncer à nationaliser 51 % du capital des sociétés minières,
dont Elf-Gabon. (J. Canard, « Un rejeton de présence », *Canard enchaîné,*
15 décembre 1982.)

(22) La date de l'arrivée à Lomé de M. Mitterrand avait été fixée au 12 janvier
1983 malgré plusieurs interventions du Parti socialiste. Devant la multiplication
des protestations, le Président retarda son voyage de 24 heures et ne fit commencer
la visite officielle que le 14. Cela ne pouvait abuser personne : « Écoutez, m'a dit
dans un éclat de rire le Général-Président, nous avons invité le président de la
République française et avons décidé de la date d'un commun accord. Je l'accueille
le 13 janvier, je lui remets les clés de la ville de Lomé. Et vous voudriez me faire
croire que sa visite ne commence que le lendemain ! », raconte C. Casteran (*Le*

grands vainqueurs de ces parties subtiles ont été M. Mobutu et Sékou Touré, ceux-là mêmes que l'on croyait condamnés par la victoire de la gauche en 1981 et qui ont paru supplanter M. Houphouët-Boigny, « prématurément enterré » (23), lors du sommet de Vittel, en octobre 1983. L'on se souvient que M. Mobutu s'était réintroduit dans le jeu franco-africain dès la conférence de Paris, à la faveur du conflit tchadien auquel il a depuis largement donné le ton. La rentrée de Sékou Touré fut plus laborieuse. Le président guinéen eut à se plaindre de l'hostilité d'une fraction de l'opinion française au cours de son voyage à Paris en septembre 1982 et il s'abstint de participer à la conférence de Kinshasa un mois plus tard. Dépit de courte durée : il sut profiter au mieux de ce qu'il devait accéder à la présidence de l'OUA en 1984 et de ce que M. Mitterrand voyait en lui une carte majeure de sa politique de rapprochement des deux blocs africains, « modérés » et « progressistes ». Lorsqu'il mourut, il avait la réputation d'être le seul chef d'État africain à avoir pu longuement parler avec l'hôte de l'Élysée — une partie de la nuit, disait-on ! — et les relations entre Paris et Conakry étaient au beau fixe. Rétablissements spectaculaires que ceux-là, mais aussi choquants que pernicieux pour l'avenir des relations franco-africaines.

Car les avantages concédés aux patrimonialismes semblent bien l'avoir été au détriment d'autres pays qui étaient demandeurs de rapports politiques d'État à État, dégagés de l'idéologie de « l'intimité franco-africaine ». Tout se passe comme si l'Élysée était prisonnier d'un style suranné et ne savait pas répondre à

Matin, 14 janvier 1983). L'accueil fut fastueux, tout ayant été fait pour que l'on dise que « la délégation française a été reçue avec beaucoup d'égards » (*Le Figaro*, 15 janvier 1983).

(23) P. Haski, « Vittel : Comment les amis d'Habré ont tenté de pirater le sommet », *Libération*, 6 octobre 1983.

des demandes d'un autre type. Le dialogue politique que la Tanzanie souhaitait nouer avec la France et que le président Nyerere inaugura d'une façon spectaculaire, en se rendant à Paris pour préparer la rencontre de Cancun alors que des réunions importantes auraient dû le retenir (24), fit long feu. Les relations franco-nigérianes, que M. Giscard d'Estaing, après M. Pompidou, s'était attaché à développer (25), connurent une régression malgré le voyage à Lagos de M. Cot en août 1981. L'Élysée commit une bévue protocolaire dans la préparation d'une visite officielle du président Shagari, au printemps 1982, et celle-ci n'eut en définitive pas lieu. Nonchalance surprenante quand on pense au leadership potentiel que le Nigeria exerce sur l'Afrique occidentale du haut de ses quatre-vingts millions d'habitants, à son influence sur l'issue de la crise tchadienne et à l'importance des intérêts économiques que la France y détient. Ce fut seulement à partir de février 1984 qu'une concertation plus étroite fut entreprise avec Lagos, où l'armée avait entre-temps pris le pouvoir. Mais l'échec le plus significatif, parce que le plus inattendu, fut celui du rapprochement qu'aurait souhaité le Cameroun, après un moment d'inquiétude au lendemain de la victoire de M. Mitterrand. Ayant toujours gardé ses distances vis-à-vis de la « famille francophone », M. Ahidjo aspirait à voir reconnaître la particularité et l'importance continentale de son pays ; en quelque sorte, il caressait le rêve de nouer avec Paris des rapports comparables à ceux qu'avait instaurés Alger. Aucune divergence notable ne séparait les deux capitales, et le Cameroun, qui était l'un des principaux bénéficiaires de la coopération, était également

---

(24) Source : entretien.
(25) D. Bach, « Dynamique et contradictions dans la politique africaine de la France. Les rapports avec le Nigeria (1960-1981) », *Politique africaine*, 5, février 1982, pp. 47-74.

le troisième des partenaires économiques de la France au sud du Sahara, devant la Côte-d'Ivoire et le Gabon. L'Élysée, cependant, ne mesura pas l'intérêt et la spécificité de la carte camerounaise, même après que M. Biya eut succédé à M. Ahidjo, en novembre 1982, et eut entrepris de libéraliser le système politique de son pays selon une démarche qui aurait dû forcer l'attention d'un gouvernement de gauche. Sur les conseils de certains experts, M. Mitterrand fit un geste en visitant le Cameroun en juin 1983 sans intégrer cette étape à une « tournée » subsaharienne. Les profits de ce signal diplomatique furent annulés quelques mois plus tard par des tentatives mal venues de réconciliation entre M. Biya et M. Ahidjo et par l'irritation que suscitait la persistance d'une diplomatie trop familière.

L'orientation patrimonialiste de la politique africaine de M. Mitterrand découle de la reconduction de la préférence stratégique dont jouissent les pays francophones. Bien que l'on puisse contester les modalités de mise en œuvre de celle-ci, un autre choix n'eût guère été réaliste. Le président de la République s'employa donc à consolider ce bloc en lui réservant ses déplacements au sud du Sahara. Au risque d'irriter le « noyau dur » des francophones, il poursuivit néanmoins l'élargissement du « pré carré » dans le sillage de ce qu'avaient entamé MM. Pompidou et Giscard d'Estaing (26). Cette politique, dont témoigne la participation d'un nombre croissant d'États aux conférences franco-africaines — processus précisément contesté par

---

(26) D. Bach, *ibid.* et « La France en Afrique subsaharienne : contraintes historiques et nouveaux espaces économiques », *Colloque sur la politique extérieure de Valéry Giscard d'Estaing,* Association française de science politique et Fondation nationale des sciences politiques, 26-27 mai 1983, multigr.

les « anciens » (27) —, consiste à recouvrer une influence perdue au lendemain de l'indépendance ou à se substituer aux autres anciennes puissances coloniales en profitant de leur faiblesse. M. Mitterrand l'a menée avec succès en Gambie en soutenant, y compris militairement, semble-t-il, sa confédération avec le Sénégal en 1981, en Guinée équatoriale en appuyant son intégration à l'UDEAC et à la zone franc, au Rwanda et au Burundi en augmentant leur part d'aide publique au développement, au Mali en assurant son retour dans l'Union monétaire ouest-africaine, en Guinée en parachevant la réconciliation avec Sékou Touré, puis, après la mort de celui-ci, en participant à la reconstruction du pays. En revanche, l'Élysée paraît avoir manqué d'audace en renonçant à approfondir, pour des raisons financières, l'hypothèse de l'adhésion du Ghana à la zone franc. Certes, le coût en eût été élevé, moins d'ailleurs au moment de l'adhésion qu'à terme, par l'effort que celle-ci eût exigé pour être exemplaire aux yeux du reste de l'Afrique. L'enjeu était néanmoins considérable, et les États francophones voisins l'auraient sans doute compris : les inconvénients du commerce régional clandestin eussent été atténués et la puissance du Nigeria rééquilibrée, sans même parler de la valeur symbolique qu'eût représentée l'entrée dans le club d'un dirigeant « populiste » de la trempe de Jerry Rawlings, mentor de Thomas Sankara, ou des avantages économiques qu'aurait apportés un pays potentiellement riche (28).

Globalement, M. Mitterrand a mieux réussi vis-à-vis des régimes « progressistes » de tonalité « socialiste »

---

(27) *Le Monde,* 2-3 octobre 1983, et entretien avec M. Bongo, *Magazine Hebdo,* 30 septembre 1983 : « Ces sommets ne sont plus ce que nous voulions en faire au départ. »

(28) Sources : entretiens. D'autres États se sont déclarés intéressés par une éventuelle adhésion à la zone Franc (Gambie, Sierra Leone, Zaïre, Guinée) ou par une coopération monétaire (pays lusophones).

ou « anti-impérialiste » — qu'il serait du reste plus pertinent de définir comme des « néo-mercantilismes », assez proches dans leurs fondements sociaux des autres États du continent (29). Deux cas de figure se présentaient à lui. En premier lieu, celui des pays du champ francophone qui avaient choisi ce cours et qui, pour cette raison, avaient eu des relations difficiles avec les présidents Pompidou et Giscard d'Estaing, quand ils n'avaient pas été victimes de tentatives de déstabilisation. M. Mitterrand sut renouer ou intensifier le dialogue avec Madagascar, le Bénin et le Congo, même si, dans les faits, les choses avaient favorablement évolué dès la fin du précédent septennat. Son approche ne manqua pas d'habileté, ainsi que l'illustra la qualité de son propos à Brazzaville (octobre 1982) et à Cotonou (janvier 1983). Elle a permis à la France de rogner l'influence soviétique au sud du Sahara, d'y endiguer les prétentions du colonel Kadhafi et, plus ponctuellement, de s'appuyer sur ce groupe d'États, favorables au GUNT de M. Goukouni Weddeye, pour ne pas s'engager trop avant au Tchad sous la seule bannière de M. Habré. D'une façon analogue, et sous bénéfice d'inventaire, M. Mitterrand paraît être parvenu à assimiler à sa stratégie continentale l'accession au pouvoir du capitaine Sankara en Haute-Volta (devenue depuis Burkina). Cela mérite d'autant plus d'être noté que le même événement, sous le précédent septennat, aurait certainement provoqué une crise majeure entre Paris et Ouagadougou et que l'Élysée s'était placé dans une situation périlleuse en ayant donné l'impression de s'être ingéré dans les affaires voltaïques quelques

---

(29) T.-M. Callaghy, « The difficulties of implementing socialist strategies of development in Africa : the first wave » in C.-G. Rosberg, T.-M. Callaghy eds., *Socialism in subsaharan Africa. A new assessment*, Berkeley, Institute of international studies, Univ. of California, 1979, pp. 112-129, et J.-F. Bayart, « Les sociétés africaines face à l'État », *art. cit.*

semaines auparavant : en mai 1983, Thomas Sankara, alors Premier ministre et soupçonné d'entraîner son pays dans l'orbite libyenne, était arrêté au cours d'une visite de Guy Penne à Ouagadougou, et certains y virent un rapport de cause à effet ; d'une façon plus incontestable, les partisans du capitaine Sankara purent reprocher à l'ambassadeur de France de s'être trop ouvertement réjoui de la destitution de leur leader et, un peu plus tard, d'avoir dissuadé le président Ouedraogo de démissionner (30). Revenu au pouvoir dès le début du mois d'août à la faveur d'un coup d'État, Thomas Sankara fit néanmoins des ouvertures à la France par l'intermédiaire du Parti socialiste ; l'Élysée décida d'y répondre en approuvant le voyage à Ouagadougou de Jacques Huntzinger, secrétaire national pour les relations internationales du PS, puis en y envoyant M. Nucci, en septembre. Bien que les relations francoburkinabe demeurent chargées de soupçons et de récriminations, et, à vrai dire, étroitement tributaires de la position difficile du capitaine Sankara à l'intérieur de son propre pays, le pire a été évité, la modération de Paris contribuant par ricochet à celle d'Abidjan.

En second lieu, Paris a accordé une plus grande attention aux pays socialistes non francophones afin, notamment, de les arracher à leur tête-à-tête avec l'Union soviétique. Cette politique n'était pas complètement inédite mais elle a été incontestablement poursuivie avec une vigueur nouvelle. Aussi bien Jean-Pierre Cot que Guy Penne et Jean Ausseil, le directeur des affaires africaines et malgaches au Quai d'Orsay, ont pris à cœur cette ouverture, en particulier vis-à-vis de l'Angola, et ils y ont consacré une part appréciable de leur agenda. De son côté, Jean-Bernard Curial, au nom du Parti socialiste, a multiplié les déplacements en

---

(30) Voir l'interview du président Sankara, *Le Monde*, 29 septembre 1983.

67

Afrique australe et tenu un rôle décisif dans la délicate préparation de la réunion de l'Internationale socialiste avec les six pays de la « ligne de front » (Arusha, 4-5 septembre 1984). Hors la précieuse bienveillance recueillie tout au long de la crise tchadienne, les résultats de cet engagement sans précédent de la diplomatie française vis-à-vis de ces différents États ont été jusqu'à présent mitigés : maigres en Éthiopie, tangibles mais insuffisants au Mozambique et en Angola, franchement décevants au Zimbabwe, indéniables au Cap-Vert et en Guinée-Bissau. Le succès de l'approche française dans ces deux derniers pays s'explique par leur enclavement dans une zone où la prédominance de Paris est établie et par leur taille modeste qui grossit l'impact de toute intervention financière. Les déboires zimbabwéens renvoient essentiellement à l'évolution interne du régime de M. Mugabe et à la dégradation de son assise économique ; néanmoins, la France n'a pas su fournir au bon moment l'aide concrète dont cet État aurait eu besoin face à la République sud-africaine. Le bilan du rapprochement avec l'Éthiopie, auquel M. Cheysson tenait, fort de ses bonnes relations avec M. Mengistu, est plus nuancé. Une tendance du DERG a vraisemblablement voulu le torpiller, en prenant prétexte du fameux communiqué du Parti socialiste qui répétait son soutien à l'autodétermination de l'Érythrée. Mais les autorités d'Addis-Abeba renouèrent d'elles-mêmes le dialogue, y compris avec la rue de Solférino, et elles conservèrent une attitude mesurée dans la crise tchadienne, même si elles contribuèrent largement à l'avortement du processus de réconciliation entre M. Habré et M. Goukouni pendant l'hiver 1983-1984. Djibouti mis à part, la présence française dans la Corne demeure de toute façon marginale, faute de moyens financiers à y affecter. La priorité a clairement été attribuée à l'Angola et au Mozambique. Il est encore difficile de déterminer si Paris a réussi à ajuster ses ambitions et sa diplomatie à ses capacités réelles dans cette région dominée par la complicité américano-sud-africaine. Deux lectures sont possibles et il serait prématuré de les départager tant que les faits ne seront pas mieux connus. Les responsables français font valoir qu'ils sont restés dans le « groupe de contact » aussi longtemps que leurs partenaires africains le leur ont demandé et qu'ils ont suspendu leur participation, en décembre 1983, sitôt qu'ils en ont été priés. Ils estiment avoir aidé l'Angola dans ses entretiens avec la République sud-africaine et l'avoir appuyé dans son refus du *linkage* que les Américains établissent entre l'indépendance de la Namibie et le retrait des troupes cubaines. Ils regrettent néanmoins que la diplomatie française n'ait pas encore trouvé de prolongement économique satisfaisant, du fait de l'inadéquation des instruments de coopération et des réticences exagérées du secteur privé (31). A l'appui de cette interprétation optimiste, M. Dos Santos a décerné au gouvernement français un satisfecit remarqué lors de sa visite à Paris (32). D'une façon plus générale, il est peu douteux que la France soit aujourd'hui considérée par l'Angola et le Mozambique comme leur meilleur allié européen. Un retournement somme toute éloquent par rapport au septennat précédent... D'autres observateurs estiment en revanche que le revirement survenu entre Luanda et Maputo, d'une part, Pretoria, de l'autre, en février 1984, a pris la France de court. Ni les États-Unis ni les pays lusophones n'auraient tenu l'Élysée informé de l'évolution réelle de leurs pourparlers, bien qu'ils se soient déroulés sur près de deux ans, et l'influence des autres membres du « groupe de

---

(31) Sources : entretiens.
(32) Entretien avec M. Dos Santos, *Le Monde*, 13 septembre 1984.

contact » sur la négociation n'aurait « cessé de s'amoindrir depuis 1981 » : « A cet égard, le retrait français de cette instance, au moment où s'esquissait un déblocage partiel en Afrique australe, exprime peut-être moins les maladresses de la diplomatie française que la volonté délibérée des États-Unis de tenir ses alliés occidentaux en lisière de la négociation. Il confirme, si besoin en était, l'incapacité ou le refus des États européens à dégager un projet concurrent à celui des États-Unis dans la région » (33). Au moins sur ce dernier point, la sévérité d'une telle analyse paraît justifiée. La sympathie avec laquelle la France et derrière elle ses voisins européens ont répondu aux avances de l'Angola et du Mozambique n'a pas pour autant permis à ceux-ci de résister à la pression militaire de Pretoria. Les accords de 1984, l'immense profit qu'en retire le système de l'apartheid sont un aveu d'impuissance qui laisse la voie libre à l'hégémonie américano-sud-africaine dans la région.

Or, le désir « d'empêcher que l'Afrique ne devienne le champ clos des rivalités et des contradictions d'intérêts extérieures » (34) — corollaire de la volonté de maintenir et d'élargir l'influence française sur le continent — suppose, outre l'endiguement de la pénétration soviétique, qu'en soient également tenus écartés les États-Unis, dans toute la mesure du possible. M. Mitterrand s'y est appliqué de diverses manières. Il a constamment dénoncé l'égoïsme de l'administration Reagan envers le Sud, notamment au cours de sa première tournée subsaharienne et au sommet de

---

(33) Z. Laïdi, « Les États-Unis et l'Afrique : une stratégie d'influence croissante », *Politique étrangère*, 2, 1984, pp. 308-309.

(34) Allocution d'ouverture de la conférence franco-africaine de Paris, *Le Monde*, 4 novembre 1981 et *Discours de M. François Mitterrand, président de la République française, au palais des congrès de Niamey le jeudi 20 mai 1982*, Paris, Présidence de la République, service de presse, p. 3.

Kinshasa (35). A l'inverse de Washington, qui pressait les pays conservateurs de s'opposer par tous les moyens à l'accession du colonel Kadhafi à la présidence de l'OUA, au risque de briser l'institution elle-même, le président de la République a plaidé sans relâche pour l'unité du continent. François Schlosser avait sans doute raison d'interpréter ainsi son accommodement avec M. Mobutu : « L'objectif stratégique de la démarche de Mitterrand, c'est d'empêcher cette division qui ferait de l'Afrique le terrain d'opérations des superpuissances, transformant chaque conflit régional, chaque crise locale en champ clos dans la rivalité Est-Ouest. Ni l'Europe, ni la France n'ont intérêt à une telle évolution. Et l'Afrique pas du tout. Parce que ses maigres chances de développement en seraient indéfiniment retardées (...), le pari de ce voyage (à Kinshasa) et de celui qu'il va faire à la fin du mois au Maroc, c'est de réparer en toute priorité la déchirure de l'Afrique — même si pour cela il faut serrer la main des Mobutu et des Hassan II sans trop regarder ce qu'il y a dessus » (36).

C'est vraisemblablement cette ligne de conduite qui a inspiré au président de la République une voie moyenne dans le conflit du Tchad. Là comme ailleurs sur le continent, les préoccupations de la France et celles des États-Unis étaient contradictoires. Dégagée du guêpier tchadien depuis mai 1980, la première

---

(35) Voir notamment les allocutions de M. Mitterrand au dîner du 21 mai 1982 et à l'Assemblée nationale ivoirienne, le 22 mai ; à la cérémonie d'ouverture de la 9ᵉ conférence des chefs d'État de France et d'Afrique (Kinshasa, 8 octobre 1982) ; à l'Assemblée nationale camerounaise (Yaoundé, 21 juin 1983).

(36) F. Schlosser, « La carte africaine de Mitterrand », Le Nouvel Observateur, 9 octobre 1982. Voir par exemple les allocutions de M. Mitterrand à l'Assemblée nationale camerounaise (Yaoundé, 21 juin 1983), au déjeuner offert par le président du Rwanda (Kigali, 7 octobre 1982), au stade de l'amitié (Cotonou, 15 janvier 1983) et, pour une perception nord-américaine de cette politique, D.-S. Yost, « French policy in Chad and the Libyan Challenge », Orbis, 26 (4), Winter 1983, p. 995.

n'avait nulle envie d'y retourner mais devait tenir compte des appréhensions que suscitait chez ses partenaires sub-sahariens l'éventualité d'une avancée libyenne dans la région. L'administration Reagan, elle, pratiquait une stratégie de la tension envers Tripoli et n'aurait pas été mécontente d'y entraîner M. Mitterrand, fût-ce à son corps défendant : en mai 1981, elle avait expulsé les diplomates libyens en poste aux États-Unis ; en août, deux avions libyens étaient abattus par l'aéronavale américaine dans le golfe de Syrte ; l'assassinat de Sadate, en octobre, ajoutait encore à la tension et, en décembre, le président Reagan demandait aux ressortissants américains de quitter la Libye. Dans ce contexte, les États-Unis, malgré les assurances qu'ils avaient données à la France, ne résistèrent pas à la tentation de continuer à soutenir M. Hissène Habré après que les Libyens eurent quitté le Tchad (37). Le retour à Ndjamena, en juin 1982, des FAN, réputées inféodées à Washington, mettait le colonel Kadhafi dans une position délicate et faisait apparaître son retrait de l'année précédente comme un marché de dupes. Les tentatives de négociation entre M. Habré et Tripoli ayant échoué durant l'été et l'automne 1982, M. Goukouni recevait en novembre la faculté de former un gouvernement provisoire à Bardaï (38).

_____

(37) Accusation reprise par M. Mitterrand lui-même dans l'entretien qu'il accorda à E. Rouleau (« La stratégie de M. Mitterrand au Tchad », _Le Monde,_ 17 août 1983). Washington aurait accordé, en 1981, dix millions de dollars à M. Habré pour reconquérir le pouvoir (_Libération,_ 30 juin 1983). Précisons néanmoins que, selon d'autres sources, cette aide ne paraît pas avoir été aussi massive qu'on ne l'a dit et qu'elle a été en partie subtilisée par l'Égypte et le Soudan, qui servaient d'intermédiaires.

(38) En fait les négociations n'auraient pas cessé entre M. Hissène Habré et la Libye de décembre 1981 à mars 1983. La Libye demandait 1) la proclamation d'une république islamique à Ndjamena ; 2) la signature d'une alliance stratégique et militaire ; 3) la reconnaissance de l'annexion de la bande d'Aouzou, et elle se montrait prête au compromis sur les deux premiers points. Le troisième point était néanmoins inacceptable pour M. Habré (F. Chipaux, « La France et la guerre au Tchad », _Le Monde,_ 14-15 août 1983). De son côté, M. Nouri, directeur d'Air Tchad, déclarait que tout contact avait été rompu entre MM. Habré et Kadhafi en février 1983 (_Le Monde,_ 9 mars 1984).

Tous les éléments étaient une fois de plus réunis pour qu'éclatât une nouvelle phase de la guerre. Tandis que M. Habré tempêtait pour qu'on lui procure un armement offensif, et que Washington l'y encourageait dans une certaine mesure, M. Mitterrand faisait la sourde oreille mais adressait un avertissement à la Libye lors de sa visite au Bénin, dont il obtenait qu'il cesse d'aider trop directement M. Goukouni (39). Malgré la progression vers le Sud des forces de celui-ci, l'Élysée s'en tint à cette ligne jusqu'à la chute de Faya-Largeau, le 24 juin 1983. Les pays africains qualifiés, non sans excès, de « modérés » et une large fraction de la presse parisienne le lui ont acerbement reproché (40). Ce parti ne manquait pourtant pas de cohérence et était d'ailleurs très proche de celui auquel s'était résigné M. Giscard d'Estaing, déchaînant les mêmes critiques de la part des mêmes censeurs. Quoi qu'il en fût, la France était inexorablement amenée à intervenir dans les jours qui suivirent, d'abord indirectement en livrant du matériel accompagné « d'instructeurs », puis de plus en plus ouvertement et massivement au cours du mois d'août quand l'aviation

(39) *Le Monde*, 18 janvier 1983 ; *Le Matin*, 18 janvier 1983 et *Le Monde*, 20 janvier 1983 ; *Allocution de M. François Mitterrand, président de la République française, à l'issue du dîner au palais de la République, Cotonou, dimanche 16 janvier 1983*, Paris, Présidence de la République, Service de presse, pp. 4-5.

(40) Voir par exemple, F. Chipaux, « Intervenir sans intervention », *Le Monde*, 13 juillet 1983 ; « Des Américains au Tchad », *Le Monde*, 5 août 1983 ; J. Amalric, « Le prix de l'indécision » et J.-C. Pomonti, « Un déluge de feu », *Le Monde*, 12 août 1983 ; Y. Montand, A. Glucksmann, B. Kouchner, J. Lebas, J.-P. Escande, « Tchad : l'engagement à reculons », *Libération*, 12 août 1983 ; F. Chipaux, « La France et la guerre au Tchad », *Le Monde*, 14-15 août 1983 ; J.-M. Kalflèche, « Pourquoi la France est intervenue si tard », *Le Quotidien de Paris*, 16 août 1983 et « Comment Cheysson est devenu la "bête noire" des Africains », *ibid.*, 17 août 1983 ; B. Ben Yahmed, « Do you speak english ? », *Jeune Afrique*, 17 août 1983 ; J.-M. Kalflèche, « Les questions auxquelles Mitterrand devra bien répondre un jour », *Le Quotidien de Paris*, 24 août 1983 ; J.-C. Pomonti, « N'Djamena s'interroge sur la finalité de "l'opération Manta" », *Le Monde*, 26 août 1983 ; J.-M. Kalflèche, Éditorial, *Le Quotidien de Paris*, 26 août 1983 ; H. de Charette, « Un président flottant », *Le Quotidien de Paris*, 27-28 août 1983 ; Favilla, « Le Tchad, hélas », *Les Échos*, 10 août 1983 et « Reniement », *ibid.*, 18 août 1983.

libyenne eut bombardé Faya et eut permis à M. Goukouni de reprendre l'oasis, brièvement réoccupée par les troupes de M. Habré le 30 juillet. Le déploiement des soldats français entre les 14e et 15e parallèles, dans une « mission d'instruction », continuait cependant de trahir ce souci de ne pas se laisser identifier à l'une des factions en lutte et de ne pas s'associer à la croisade antilibyenne des Américains, tout en garantissant la permanence de l'État tchadien et en rassurant le « noyau dur » des Africains francophones. Que M. Mitterrand n'ait entièrement atteint aucun de ces objectifs ne signifie pas forcément que sa démarche était absurde en soi ou qu'il en eût existé une meilleure. Et que celle-ci ait reposé sur ces principes généraux n'implique pas plus qu'elle fût maîtrisée. Comme le note François Soudan, « (...) l'Élysée a beaucoup plus agi sous la poussée d'événements contradictoires que sous l'emprise d'un raisonnement parfaitement dominé », contrairement à l'impression que cherchait à donner l'interview présidentielle accordée au *Monde* le 25 août (41). Encore faut-il préciser que M. Mitterrand était confronté à un ensemble de pressions et de contraintes parfaitement antagonistes et indépendantes de sa volonté.

Il est d'abord erroné d'affirmer qu'une intervention des Jaguar aurait suffi en juin à sauver à moindres frais la situation de M. Habré. On ne cache pas de source militaire les difficultés qu'aurait soulevées une telle opération. D'une part, des Jaguar basés à Ndjamena ne pouvaient combattre au-delà de Faya-Largeau et la solution de leur ravitaillement en vol était rendue aléatoire par le nombre de chasseurs de protection qu'elle exigeait. De l'autre, le contrôle de la base de Ndja-

---

(41) F. Soudan, « Tchad : ce que Mitterrand n'a pas dit », *Jeune Afrique,* 7 septembre 1983 et Interview de M. Mitterrand, *Le Monde,* 25 août 1983. De nombreux entretiens nous ont confirmé dans l'opinion de F. Soudan.

mena, afin de parer à d'éventuelles attaques aériennes ou terroristes, supposait le déploiement de troupes au sol que précisément l'on souhaitait alors éviter. En tout état de cause, des pertes, peut-être importantes, semblaient probables ; elles devenaient même inévitables une fois que la chasse libyenne faisait son apparition massive lors de la seconde chute de Faya (1er-10 août) et conférait au conflit tchadien une dimension militaire radicalement inédite. Pareillement, l'oasis pouvait être reprise en juin au gré d'une opération française aéroportée mais elle eût été indéfendable (42). Tous les vat-en guerre, les « y a qu'à » partisans de la solution militaire, qui exigeaient le retour au Tchad de l'armée et plaidèrent ensuite pour une assistance française à la reconquête du Nord par M. Hissène Habré, sous-estimaient le coût matériel, humain et politique d'une telle entreprise. La réticence de M. Mitterrand paraît avoir été dictée par sa répugnance à entamer une guerre aux relents coloniaux après avoir assuré pendant deux ans qu'il n'enverrait pas de soldats français au Tchad, par l'attente de voir la légalité internationale clairement

---

(42) Sources : entretiens. De son côté, F. Soudan note : « (...) cette oasis (de Faya) longue de quatre-vingts kilomètres et large de dix, flanquée au Sud-Est d'un terrain d'atterrissage (le seul de toute la moitié nord du Tchad) est pratiquement indéfendable, sauf si l'on concentre le long de la piste qui la traverse et sur les hauteurs environnantes des quantités énormes de matériel lourd » (« La bataille de Faya », *Jeune Afrique*, 6 juillet 1983). Ajoutons que la piste de Faya, non bétonnée, ne peut accueillir d'avions à réaction. Et pourtant le général Gallois n'hésitait pas à écrire, avec l'effet d'autorité sur l'opinion que l'on peut imaginer : « (...) lorsque Hissène Habré a repris Faya-Largeau temporairement, il eût fallu aussitôt y déployer un contingent de quelques centaines d'hommes de manière à matérialiser la volonté de la France de mettre un terme au conflit » (*La Croix*, 15 septembre 1983). Un article comme celui de J.-M. Benoist (« Lumière d'août sur Faya-Largeau », *Le Quotidien de Paris*, 16 août 1983) paraît tout aussi irresponsable. En revanche, G. Buis, M. Bigeard et J. Massu (qui rappelle à son tour que « Faya est une position très difficile à tenir une fois conquise ») considèrent comme normaux les délais de déploiement de l'opération Manta (*Libération*, 22 août 1983). J. Isnard donne également des précisions intéressantes sur la mise en œuvre de l'opération (« Les ambiguïtés volontaires du plan Manta », *Le Monde*, 25 août 1983). De source militaire, il nous a été précisé que la chronologie donnée par la presse en juillet-août doit généralement être « avancée » de 48 heures, le boulevard Saint-Germain parvenant à dissimuler pendant cette durée les préparatifs opérationnels.

enfreinte par le colonel Kadhafi, mais aussi par une sagesse élémentaire et une saine appréciation des rapports de force.

On a également insisté sur le recul de crédibilité qu'aurait encouru la France en tardant trop à intervenir et sur le surcroît d'influence régionale qu'en auraient retiré les États-Unis. Il est vrai que plusieurs chefs d'État francophones — et non des moindres : MM. Houphouët-Boigny, Mobutu, Abdou Diouf — se rendirent à l'époque à Washington et y entendirent les cris d'alarme de l'administration Reagan. Celle-ci, cependant, n'avait pas grand chose à offrir, comme en convint dans un premier temps J.-M. Kalflèche (43). Orchestrées par le président ivoirien, en villégiature à Marnes-la-Coquette, les pressions du « noyau dur » francophone furent très vives de juin à août. Elles frôlèrent le surréalisme quand Sékou Touré remémora à Guy Penne que « la France a des responsabilités à l'égard de ses anciennes colonies » (44). Ces démarches appellent néanmoins deux commentaires. Si l'on excepte le Zaïre — non sans noter le prix dont il monnaya son énergie — ces mêmes pays « modérés », prompts à stigmatiser l'indécision de la France, n'ont jamais montré un zèle immense à condamner les agissements de la Libye, et en particulier l'annexion par celle-ci de la bande d'Aouzou. Le Maroc, notamment, qui, en juin, avait été pressenti par l'Élysée, préféra en définitive se rapprocher du colonel Kadhafi et négocier avec lui l'arrêt de son soutien au Front Polisario en échange de sa neutralité dans le conflit tchadien (45). On voit mal ce que la France aurait gagné à être plus antilibyenne que les antilibyens, d'autant que plusieurs

---

(43) J.-M. Kalflèche, « Les atouts et les risques de la politique de François Mitterrand », *Le Quotidien de Paris*, 5 août 1983.

(44) *Le Point*, 4 juillet 1983.

(45) Sources : entretiens.

de ses partenaires — le Bénin, le Mozambique, Madagascar, et surtout le Congo — restaient favorables au GUNT de M. Goukouni et invitaient l'Élysée à la réserve. S'il est vrai que M. Mitterrand veut « réparer (...) la déchirure de l'Afrique », selon l'expression de F. Schlosser, il y a assez bien réussi dans cette affaire en gardant bon an mal an un certain équilibre entre les deux camps et en recueillant, jusqu'à l'été 1984, l'adhésion mesurée ou tacite de pays aussi sourcilleux que l'Algérie ou l'Éthiopie (46).

L'Élysée a également évité une confrontation directe avec la Libye, hypothèse dont le coût politico-militaire ne saurait être méconnu. Paradoxalement, Tripoli a peut-être fait preuve d'une modération que la presse française ne lui a pas toujours reconnue. Il est à peu près clair que la Libye a constamment cherché à concilier son rêve d'hégémonie au Tchad et un *modus vivendi* avec la France. En multipliant les contacts avec celle-ci durant l'hiver 1982-1983, et jusque très avant dans le printemps, le colonel Kadhafi a-t-il agi par duplicité (47) ? A-t-il changé d'objectif prioritaire après avoir dû définitivement laisser échapper la présidence de l'OUA en juin ? Ou n'est-il intervenu massivement pour aider M. Goukouni à reprendre Faya qu'après la déroute de ce dernier, les livraisons d'armes françaises et américaines à M. Habré et l'entrée en lice de mercenaires aux côtés de celui-ci ? Bien des points seraient à éclaircir sur le déroulement exact de la crise de juin-août 1983. Il semble avéré, en particulier, que M. Habré a très habilement mené la partie à son

---

(46) *Le Monde*, 2 septembre 1983 et 13 septembre 1983.
(47) En mars 1983, la commission mixte franco-libyenne s'était réunie pour la première fois depuis cinq ans. En avril, M. Obeidi, ministre libyen des Affaires étrangères, se rendait à Paris. Le 16 juin, deux ingénieurs français arrêtés en Libye étaient libérés sous caution et le 11 juillet ils étaient autorisés à regagner leur pays. Par ailleurs les communiqués libyens, volontiers incendiaires, restèrent étrangement modérés à l'égard de la France.

profit, d'abord en exagérant sa défaite militaire du mois de juin pour réunir plus d'aide et contraindre la France à l'action, ensuite en reprenant Faya un peu contre l'avis de celle-ci pour provoquer la riposte libyenne et susciter l'opération Manta (48). Quoi qu'il en soit, on ne peut s'empêcher de penser que Paris et Tripoli ont, au moins partiellement, agi de concert à plusieurs reprises et que la mission de Roland Dumas auprès du colonel Kadhafi, en août 1983, consistait à lui signifier les limites de l'intervention militaire française, autant peut-être qu'à négocier avec lui un improbable retrait (49). A l'inverse, de nombreux indices ont suggéré pendant l'été que Tripoli entravait les initiatives guerrières du GUNT (50) et rien n'indique, jusqu'à preuve du contraire, que les Libyens aient été les auteurs de la destruction du Jaguar français ou de l'attentat de l'aéroport de Ndjamena, en 1984 (51). C'est dans le contexte de ce jeu ambigu et feutré qu'il faut replacer la tension franco-américaine du mois d'août 1983. En refusant l'appui des Awacs — d'une utilité par ailleurs contestable pour des raisons purement techniques si l'on en croit des sources

---

(48) Sur ces différentes hypothèses, J.-M. Kalflèche, « Les atouts et les risques de la politique de François Mitterrand », *Le Quotidien de Paris*, 5 août 1983 ; F. Soudan, « Paris met le paquet », *Jeune Afrique*, 27 juillet 1983 ; « Pourquoi la France s'engage », *Jeune Afrique*, 31 août 1983.

(49) Sources : entretiens. Sur les voyages de Roland Dumas à Tripoli, cf. *Le Monde*, 18 août 1983. A noter également les déclarations apaisantes de M. Triki, ambassadeur de la Libye aux Nations Unies et ancien ministre des Affaires étrangères, à la mi-août, et l'entretien (qui « s'est toutefois déroulé sur un ton parfois vif », *Le Monde*, 17 août 1983) que celui-ci eut avec M. Nucci au sommet de Brazzaville (13-15 août). E. Rouleau a récemment confirmé cette interprétation (« La diplomatie secrète a joué un rôle majeur dans la conclusion de l'accord », *Le Monde*, 19 septembre 1984).

(50) Cf. par exemple F. Soudan, « La bataille de Faya », *Jeune Afrique*, 6 juillet 1983 ; « Tchad : Goukouni Weddeye a-t-il perdu ? », *ibid.*, 27 juillet 1983 ; S. Andriamirado, « Goukouni contre Kadhafi ? », *ibid.*, 14 septembre 1983.

(51) Sources : entretiens et *Le Monde*, 1er février 1984. Voir aussi M. Selhami, « Silence dans les rangs ! », *Jeune Afrique*, 22 février 1984.

militaires (52) — et en marquant son irritation à l'égard des démarches répétées de l'administration Reagan (53), M. Mitterrand entendait certes tenir les Américains éloignés de la région, sauvegarder l'indépendance nationale, demeurer maître de sa politique ; il entendait surtout rappeler au colonel Kadhafi que l'opération Manta ne visait pas à le déstabiliser et ne relevait pas de la stratégie de la tension de Washington, laquelle venait de rebondir sous la forme d'un nouvel incident aérien dans le golfe de Syrte, le 1er août. Message reçu puisque, pour le leader libyen, s'il « n'y a pas de différence entre le rôle des États-Unis et celui de la France (...), le dialogue est possible avec la France alors qu'il est impossible avec les États-Unis » (54).

Enfin, il y avait quelque prudence à ne pas épouser aveuglément la cause d'un seul homme dans ce que Claude Cheysson a eu raison de nommer « une guerre des chefs », ne concernant directement que 5 % de la population du pays si l'on s'en tient à l'animosité mutuelle entre MM. Habré et Goukouni. En raison des qualités politiques qu'on lui prête et des qualités guer-

(52) Sources : entretiens. J.-M. Kalflèche est dans le faux quand il tranche péremptoirement : « La riposte à Kadhafi à partir du moment où elle était décidée, passait par les Awacs. Il était un peu difficile de faire semblant de l'ignorer. Non seulement rationnellement mais vis-à-vis de nos partenaires africains » (« Pourquoi la France est intervenue si tard », *Le Quotidien de Paris*, 16 août 1983). Il est cependant exact que l'État-major français avait été pressenti par le Pentagone et s'était déclaré intéressé par cette collaboration, quelles qu'en fussent les limites techniques.

(53) Voir E. Rouleau, « La stratégie de M. Mitterrand au Tchad », *Le Monde*, 17 août 1983. Le choix de M. Rouleau, réputé proche du colonel Kadhafi, comme exégète de la pensée présidentielle n'était probablement pas le fruit du hasard. G. Dupuy a été l'un des rares observateurs à noter que « cette charge anti-Reagan (de M. Mitterrand) constituait un clair signal de non-belligérance à Kadhafi » (« Des gouttes de sueur sur le troisième front », *Libération*, 19 août 1983). Sur la polémique franco-américaine qui s'en est suivie, cf. M. Faure, « Washington : Paris était prévenu », *Libération*, 19 août 1983, « Malentendu franco-américain », *Le Monde*, 19 août 1983, « M. Weinberger s'est efforcé d'apaiser le "malentendu" franco-américain », *Le Monde*, 20 août 1983 ; sur la politique africaine des États-Unis, cf. Z. Laïdi, « Contraintes et enjeux de la politique américaine en Afrique », *Politique africaine*, 12, décembre 1983, pp. 25-45.

(54) *Le Monde*, 9 mars 1984.

rières qu'il démontre, M. Habré, cet « homme à l'aise, décidé et magnanime dans ses nouvelles fonctions » (55), dispose de soutiens inconditionnels dans la presse et l'administration françaises. Cela ne suffit pas à le rendre acceptable aux yeux des « Sara » du Sud ou des Arabes de l'Est (56). Et l'on comprend que le gouvernement français, échaudé par son expérience malheureuse avec M. Goukouni, ait plutôt prêché l'élargissement de la base du pouvoir de Ndjamena et la convocation d'une conférence de réconciliation en multipliant lui-même, de pair avec le Parti socialiste, les entretiens avec toutes les composantes du kaléïdoscope tchadien. Efforts louables et ingrats comme l'a montré l'échec des conférences d'Addis-Abeba et de Brazzaville en 1984.

Mais peut-être est-ce là que le bât blesse. Si la politique tchadienne de M. Mitterrand a été incontestablement équilibrée et a sauvegardé l'économie générale de sa diplomatie jusqu'à l'été 1984, elle n'en reste pas moins décidée au jour le jour, sans perspective précise. Tout (ou presque) a déjà été essayé au Tchad et rien n'a réussi. En particulier, l'OUA, derrière laquelle s'est réfugié M. Mitterrand depuis l'automne 1981, est impuissante dans cette affaire comme dans celles du Sahara occidental et de l'Afrique australe. Tant que l'on ne répondra pas à la Libye d'une manière tangible, par les armes ou par une concession, sous la forme d'une reconnaissance tacite de son influence sur le Tchad — similaire, après tout, à celle que l'on admet de l'Algérie en Mauritanie, au Mali et au Niger,

---

(55) C. Faure, « France-Tchad : Hissène Habré prêt à passer l'éponge », *Le Quotidien de Paris*, 5 octobre 1982. Voir aussi, dans ce genre hagiographique, C. d'Épenoux, « Les longues marches d'Hissène Habré », *L'Express*, 22 juillet 1983.

(56) Voir par exemple F. Gaulme, « Le Tchad entre deux guerres », *Marchés tropicaux et méditerranéens*, 23 septembre 1983, pp. 2247-2250 et L. Zecchini, « La violence de la répression dans le Sud compromet les chances d'une réconciliation nationale », *Le Monde*, 27 octobre 1984.

ou de l'Égypte au Soudan —, le problème sera insoluble. Quant à ce dilemme, M. Mitterrand, semble-t-il, n'a pas encore tranché. Dans ces conditions, l'obtention du retrait des troupes libyennes, en novembre 1981, n'a été rien d'autre qu'une victoire à la Pyrrhus, et cela était prévisible (57). Le colonel Kadhafi était en fait en mauvaise posture à l'époque. Il craignait une guerre avec le Soudan et l'Égypte, perdait de nombreux hommes, supportait plus difficilement le poids financier de son corps expéditionnaire du fait de la baisse du prix du pétrole, rêvait de respectabilité à l'approche du sommet qui devait le porter à la présidence de l'OUA (58). Dès lors, n'aurait-il pas été plus opportun de le laisser s'ensabler dans ses difficultés ? Au lieu de cela, l'Élysée a cru bon de lui offrir une porte de sortie honorable et s'est réinséré dans le jeu tchadien, déserté à la fin du septennat précédent. Or, les garanties que l'on était en mesure d'apporter à M. Goukouni — et à travers lui au colonel Kadhafi — étaient illusoires en raison de la duplicité probable des États-Unis, du Zaïre et du Soudan et de l'indétermination légendaire de l'OUA. La première erreur tchadienne de M. Mitterrand, la plus grave sans doute, remonte à ce qui fut sur le moment perçu comme un coup magistral. La seconde, probablement inévitable, consista à envoyer à son tour un corps expéditionnaire, peut-être sous l'émotion provoquée par le putsch du capitaine

---

(57) Cf. les analyses de P.-M. de La Gorce in *Le Figaro*, 3 novembre 1981 et de P. Biarnès in *Le Monde*, 28 novembre 1981. De son côté, Robert Galley, ministre de la Coopération dans le gouvernement Barre lorsque les Libyens étaient entrés à Ndjamena en décembre 1980, affirmait que leur retrait lui était toujours apparu comme inéluctable, compte tenu du désir du colonel Kadhafi d'accéder à la présidence de l'OUA (*Paris-Match*, 20 novembre 1981).

(58) P. Haski, « Le retour des conseillers militaires français au Tchad », *Libération*, 18 novembre 1981 ; *New York Times*, 22 novembre 1981 ; C. Faure, « La France va devoir dialoguer avec Habré », *Le Quotidien de Paris*, 6 octobre 1982 ; D.-S. Yost, *art. cit.*, pp. 978-979.

Sankara, le 4 août (59), sans pouvoir prévoir les conditions de son rappel. N'était-ce pas risquer de consacrer, au prix le plus fort, la partition *de facto* du pays, s'il est vrai que sous le couvert de la « ligne rouge », la Libye a essayé d'annexer le Nord-Tchad ainsi que l'affirment certains (60) ?

L'efficacité de l'opération Manta, la ténacité des négociateurs français, les difficultés du colonel Kadhafi en ont décidé autrement. Mais il faut espérer que le retrait des troupes françaises, décidé en septembre 1984, n'a pas été la troisième erreur tchadienne de M. Mitterrand. Salué sur le moment, et non sans raison, comme la justification *a posteriori* de la retenue du chef de l'État, cet accord comporte son coût diplomatique. Quoi qu'en disent les responsables français, il apparaît lié, d'une manière ou d'une autre, à la redistribution des cartes dans le Maghreb que sanctionne le traité d'Oujda. Le voyage privé de M. Mitterrand à Ifrane a suggéré un réalignement de la politique française dans cette région, au détriment du Front Polisario et de l'Algérie. Inflexion déroutante du strict point de vue des enjeux africains : le Maroc avait perdu nombre de ses soutiens au sud du Sahara, et l'Algérie est l'un des pays les mieux à même de contrebalancer la poussée libyenne au Tchad. Paradoxalement, l'Élysée, qui était parvenu à sauvegarder la dimension continentale de sa diplomatie lors du déclenchement de l'opéra-

(59) L'importance de ce facteur est soulignée par F. Soudan, « Ce que Mitterrand n'a pas dit », *Jeune Afrique*, 7 septembre 1983 et B. Ben Yahmed, « Do you speak english ? », *Jeune Afrique*, 17 août 1983. Chacun était à l'époque persuadé de l'étroitesse des liens que le capitaine Sankara avait noués avec le colonel Kadhafi, et *Le Monde* du 9 août annonçait que « des avions libyens se seraient posés à Ouagadougou ».

(60) Voir la déclaration du général Poli, diplomatiquement démentie en un second temps (AFP, *Bulletin d'Afrique*, 17 janvier 1984 ; *Le Monde*, 18 janvier 1984 et 19 janvier 1984) ; les communiqués de l'Agence tchadienne de presse (*Le Quotidien de Paris*, 9 mars 1984) et l'article alarmiste de J. Isnard (*Le Monde*, 16 mars 1984).

tion Manta, paraît l'avoir sacrifiée à l'occasion de son rappel. La riposte d'Alger n'a pas tardé, en direction de la Mauritanie, du Mali, du Niger, de la Haute-Volta, du gouvernement de M. Habré et de son opposition ; elle ne restera probablement pas sans effets auprès d'autres pays, comme le Cameroun. Or cet accord franco-libyen, nécessaire mais lourd d'inconvénients, ne résoud rien quant au fond. L'expérience des années précédentes tend à prouver que tout vide militaire, au Tchad, est tôt comblé. Au profit de qui cela se fera-t-il cette fois-ci ? En outre, il n'est pas acquis que la négociation intertchadienne aboutisse enfin, en dépit des trésors de patience que Paris et Brazzaville lui consacrent. On peut même penser que l'incapacité de M. Habré à s'attacher le Sud, aujourd'hui patente, complique encore un peu plus les perspectives de réconciliation. Dans ce contexte, la conclusion précipitée — en un week-end — d'une négociation franco-libyenne entamée plusieurs mois auparavant et jamais rompue, peut surprendre. Si le temps militait si évidemment contre le colonel Kadhafi, pourquoi cet empressement ? S'agissait-il d'éviter à l'armée française de s'associer à une opération de pacification du Sud, devenue inévitable ? De forcer le destin de M. Habré en profitant d'une conjoncture qui lui était défavorable, dans l'espoir d'imposer une solution tierce ? Ou plus simplement de mettre fin, sans trop regarder au prix dont on monnayait ce désengagement, à une intervention militaire coûteuse, potentiellement dangereuse et sans issue prévisible ? L'avenir tranchera. Mais d'ores et déjà, l'on peut estimer que la désinvolture avec laquelle M. Habré fut mis devant le fait accompli lui donnait des armes pour contrarier un processus qu'il désapprouvait et dont la France n'était pas entièrement maîtresse. Cette part d'improvisation (ou ce qui a été perçu comme telle) représentait en soi un luxe périlleux. Reconnaissant au président de la République le mérite de la mesure dans le règlement de ce conflit épineux, il nous faudra, le moment venu, nous interroger sur les conditions dans lesquelles il élabore et prend ses décisions.

C'est cette même question que soulève le volet économique de la politique africaine poursuivie depuis mai 1981 alors que la partie se joue pour l'essentiel sur cette dimension. Il serait vain, pour la France, de songer à demeurer une puissance primordiale en Afrique si elle ne parvenait pas à mieux satisfaire les attentes économiques de ses partenaires que les nouveaux venus. Tâche relativement aisée quand il s'agit de l'Union soviétique dont l'inadéquation et l'insuffisance de l'aide au développement sont proverbiales, jusqu'à être un tantinet grossies (61). Tâche autrement plus redoutable quand il s'agit des puissances européennes, du Canada, du Japon, des États-Unis, voire du Brésil, de la Corée du Sud ou, à très long terme, de l'Inde. De toute évidence, la réponse appartient en premier lieu aux industriels français et elle est, pour l'instant, loin d'être convaincante. Ceux-ci continuent de considérer l'Afrique noire comme une chasse gardée et de privilégier l'exportation, au lieu de la coopération industrielle dont sont demandeurs les pays subsahariens (62). Même lorsqu'il y a délocalisation de la production, il est fréquent que « du point de vue des groupes qui s'installent cette création corresponde non pas à une stratégie industrielle mais à une stratégie commerciale de conservation de marchés captifs, que

---

(61) Z. Laïdi, « Les problèmes de consolidation de l'influence soviétique en Afrique », *Politique africaine*, 7, septembre 1982, pp. 89-90.

(62) Sources : entretiens et M.-C. Smouts, « La France et l'industrialisation du Tiers monde : une vision kaléidoscopique », *Revue française de science politique*, 33(5), octobre 1983, pp. 807 et suiv.

les options prises, les mesures demandées correspondent à cette stratégie commerciale et se désintéressent d'une perspective d'industrialisation à long terme, industrialisation qu'elles conduisent dans l'impasse » (63). Quand elle s'opère dans ces conditions, la présence industrielle française s'effectue au détriment des intérêts du pays d'accueil (64) ; à ce titre, elle paraît très vulnérable à terme. C'est dire l'importance de la réflexion et des incitations auxquelles s'efforce le CNPF à l'égard des entreprises et des acquis remportés par celles-ci au Nigeria (65).

Le gouvernement, quant à lui, a parlé haut et fort dans ce domaine, depuis mai 1981. Sa prétention à se poser en « avocat du Tiers monde » auprès des autres puissances industrielles a permis d'engranger quelques gains diplomatiques en évitant par exemple d'embarrassantes mises en accusation dans l'enceinte des Nations Unies au sujet de Mayotte, de la Nouvelle-Calédonie ou des expériences nucléaires dans le Pacifique. Mais la France n'a pas su (ou pu) utiliser cette carte pour contrer d'une façon effective les stratégies économiques

---

(63) G. Duruflé, *L'implantation de SOCITAS en Côte-d'Ivoire. Histoire et bilan économique,* Paris, SEDES, 24 février 1983, multigr., p. 5.

(64) Si l'on s'en tient à l'exemple de SOCITAS, qui motive la sévérité du jugement précédemment cité, on peut faire les constatations suivantes : « Par rapport à la situation d'importation "normale" (c'est-à-dire avec les tarifs douaniers de 1969, avant que SOCITAS n'obtienne de nouvelles protections) l'implantation de SOCITAS entraîne pour la consommation une majoration de prix supérieure à 50 % (...). Corrélativement à l'augmentation des prix, la stratégie de SOCITAS a pour effet pour le consommateur de limiter les possibilités de choix et d'en relever le niveau de qualité. En faisant constamment référence aux produits français de qualité moyenne ou supérieure, les industriels sont parvenus à bannir officiellement les produits de bas de gamme : quiconque n'a pas les moyens pour accéder à ce niveau de consommation a tort et n'a pas d'alternative légale. Par la fraude parviennent des produits de bas de gamme mais à un prix relativement élevé, vu les intermédiaires par lesquels ils ont dû passer. De telles dispositions traduisent dans les circuits économiques et renforcent un alignement "culturel" sur les modèles de consommation européens dont on connaît les effets de distorsion sur l'économie : inégalité, croissance des importations, ponctions du secteur urbain moderne sur la paysannerie » (*ibid.,* pp. 23-24).

(65) Sources : entretiens ; R. Verlet, *Mission au Nigeria (19-23 octobre 1981),* Paris, CNPF, ETP, multigr., 1982.

rivales, en particulier américaine, au sud du Sahara. L'insistance présidentielle à dénoncer l'égoïsme de l'administration Reagan était vouée à n'être que rhétorique, faute de se concrétiser en une démarche concurrente. Or, les ministères à qui aurait dû revenir cette mission se sont trompés de registre.

Ainsi, M. Cot a inspiré le postulat énoncé par M. Mitterrand devant la conférence sur les Pays les moins avancés (PMA), le 1ᵉʳ septembre 1981 : « Aider le Tiers monde, c'est s'aider soi-même à sortir de la crise. » S'appuyant sur le « rapport Berthelot-de Bandt » commandé peu de temps après la formation du premier gouvernement Mauroy, le ministre de la Coopération voyait dans l'aide au développement des pays du Sud une « stratégie de sortie de crise » (66). Mais l'argumentation de MM. Berthelot et de Bandt, dans la mesure où elle démontre que les échanges commerciaux avec le Tiers monde ont été globalement créateurs d'emplois entre 1973 et 1980 et ont aidé au maintien des équilibres extérieurs, est elle-même susceptible d'être retournée. Il est vrai que le Tiers monde a permis à l'industrie française de « tenir la tête hors de l'eau » (67) puisque la balance industrielle du pays, en dégradation progressive depuis 1973, n'enregistre de surplus qu'avec lui, pays pétroliers exclus. Pourtant, cet excédent porte principalement sur les pays africains, moins dynamiques et importants que les marchés asiatiques et latino-américains, et où la France dispose d'atouts particuliers, tels la zone franc et les taux de retour de l'aide publique au développement (68). Il traduit de la sorte de véritables rentes de

---

(66) Y. Berthelot, J. de Bandt, *Impact des relations avec le Tiers monde sur l'économie française,* Paris, La Documentation française, 1982, 2 tomes.

(67) Selon le mot d'un industriel, cité par M.-C. Smouts, *art. cit.,* p. 798.

(68) Y. Berthelot, J. de Bandt, *op. cit.,* et « La France et l'Afrique », *Marchés tropicaux et méditerranéens,* 24 décembre 1982, pp. 3889 et suiv.

situation dont on peut se demander si elles ne protè-
gent pas artificiellement l'industrie française d'une
nécessaire adaptation au marché mondial (69). Le salut
proviendra plutôt (s'il doit survenir...) des échanges
avec les pays les plus porteurs, comme l'admettent
aussi bien les ministères du Commerce et des Finances
que les industriels, assez peu intéressés par l'exiguïté et
l'insolvabilité de la plupart des marchés subsahariens.
Par ailleurs, d'autres sources contestent les gains que
les pays industrialisés ont tirés de l'ouverture du Tiers
monde aux échanges et confirment que « l'Ouest doit
trouver en son sein les ressorts d'une nouvelle
croissance » (70). Si l'on raisonne en termes de « coût

---

(69) Sources : entretiens. Le rapport cité de G. Duruflé sur la SOCITAS est
éloquent à cet égard.

(70) CEPII (Centre d'études prospectives et d'informations internationales),
Économie mondiale : la montée des tensions, Paris, Economica, 1983, p. 229 et p. 10.
J.-P. Cot admet dans son ouvrage que « les priorités politiques ne coïncident pas
avec l'intérêt commercial immédiat » et précise : « En choisissant (...) la priorité
accordée aux pays africains et notamment aux moins avancés d'entre eux, François
Mitterrand aggrave la contradiction et affaiblit sa propre formule. Depuis le Conseil restreint du 8 juin 1982, il est un peu moins vrai qu'aider le Tiers monde,
c'est s'aider soi-même » (*A l'épreuve du pouvoir,* Paris, Seuil, 1984, p. 46).

De son côté, Jacques de Bandt, dans un débat postérieur à la remise du rapport
qu'il avait cosigné avec M. Berthelot, en relativisa lui-même les conclusions en évoquant pudiquement le « contrôle des orientations » auquel s'était livré le ministère
de la Coopération et qui eut pour conséquence « le fait que l'analyse s'arrête en
deçà de toute discussion des implications politiques réelles » (J. de Bandt,
« Quelques remarques complémentaires », *Cahiers du CERNEA* 2 [1984], pp. 4, 8
et 10).

Un autre économiste, Jean Coussy, renchérit sur ces observations : « Comment
le Tiers monde pourrait-il pratiquer *une stratégie de développement autocentré* si le
Nord persiste dans une stratégie qui augmente les importations du Tiers monde
(puisque l'on veut développer des excédents français), ses exportations (puisque la
protection contre celles-ci serait réduite), ses entrées de capitaux privés (puisque
l'excédent français serait ainsi partiellement financé), ses investissements privés et
étrangers (puisque les investissements des entreprises françaises seraient encouragés)
et son financement public extérieur (puisque la France devrait augmenter son
APD) ? Des précautions sont certes préconisées, notamment dans les interventions
des opérateurs privés (...). Il n'en sera pas moins singulièrement difficile pour un
pays sous-développé, dont tous les flux avec le Nord seraient sensiblement accrus,
de pratiquer un développement autocentré (...). Enfin, il est certain que la stratégie
présentée est en définitive une stratégie par laquelle la France tente de rejoindre
un "peloton de tête" (USA, RFA, Japon...) qui cherche lui-même — consciemment
et explicitement — à maintenir sa distance à l'égard du Sud (par hausse des qualifi-
cations, par spécialisation dans les produits de haute technologie, par innovation

d'opportunité » et sur une longue durée, les bénéfices strictement économiques que la France dégage de sa coopération avec l'Afrique doivent donc être relativisés. L'argument de la justice et de la solidarité aurait dû suffire à légitimer l'accroissement de l'aide publique au développement et son rééquilibrage en faveur des PMA qu'a courageusement décidés le gouvernement mais dont il ne faut pas se cacher qu'ils stabilisent une région jugée cruciale pour la sécurité et l'approvisionnement en matières premières de l'Europe. Sans les subventions du Trésor français, des États comme le Centrafrique et le Burkina s'affaisseraient à l'instar de l'Ouganda (71).

De plus, la réflexion engagée sur la coopération économique, et notamment industrielle, ne s'est pas déployée en une véritable pratique, malgré un effort de décantation conceptuelle (72). Le développement auto-centré qui est prôné est censé permettre aux pays concernés d'accroître leur capacité de production en fonction de leurs ressources propres et de leurs besoins internes, par opposition aux stratégies d'extraversion accordant la priorité à la demande externe. Tant à Paris qu'à Bruxelles, on comprend mieux, depuis mai 1981, ce que peut être une stratégie alimentaire, même si la poursuite de celle-ci se heurte à des obstacles politiques inhérents aux sociétés africaines

---

destructrice des équilibres anciens, par spécialisation dans les services financiers et les services d'ingénierie, etc.). Or par nature ces stratégies reproduisent — et ont pour objectif de reproduire — les disparités dont les États des pays développés craignent qu'elles ne disparaissent alors que toute la théorie normative du développement a pour but d'en hâter la disparition » (J. Coussy, « Quelques interrogations sur le rapport », *ibid.*, pp. 19-20).

Le mot de la fin revient néanmoins à M. Mobutu : « Aider le Zaïre, c'est s'aider soi-même » (*Le Monde*, 1er octobre 1982).

(71) Sur les « coûts » et les « avantages », pour la France, des « relations privilégiées » qu'elle entretient avec l'Afrique, voir G. Moatti, « La France et son Afrique », *L'Expansion*, 21 octobre 1983.

(72) M.-C. Smouts, *art. cit.*, pp. 804 et suiv.

d'aujourd'hui. Dans le domaine industriel, la coopération proposée consiste en la promotion d'entreprises industrielles conjointes, associant aux pays du Sud et à leurs entrepreneurs des petites et moyennes entreprises françaises. Les réalisations — par exemple celles du Centre français de promotion industrielle en Afrique, créé en 1972 par Paul Huvelin — sont encore modestes et aléatoires. D'une façon plus ambitieuse, la philosophie du « co-développement » aspire à la mise en œuvre de plans sectoriels réunissant les États et les opérateurs privés pour le développement en commun de tel ou tel secteur d'activité ; elle implique des « pays cibles », désormais nommés « points d'appui », tels que le Mexique, l'Algérie, l'Inde et, au sud du Sahara, le Zimbabwe et le Nigeria. La pratique, là aussi, a été décevante. Les espoirs entretenus au sujet du Zimbabwe se sont en particulier évanouis et les protocoles financiers signés en 1982 n'ont pas été utilisés : l'administration du président Mugabe s'est montrée moins conciliante que ne l'auraient souhaité les investisseurs français, les exigences de l'austérité l'ont emporté et le désenclavement de la région que l'on escomptait n'a pas eu lieu à cause de la guerre civile mozambicaine.

Le gouvernement a de toute façon fait preuve d'une certaine inconséquence sur ces questions. Depuis 1981, aucun des ministres successifs du Commerce extérieur ne s'est encore rendu au sud du Sahara et, on l'a constaté, deux des plus gros clients de la France — le Nigeria et le Cameroun — ont été quelque peu maltraités diplomatiquement. La Côte-d'Ivoire, autre grand partenaire de la France, n'a pas non plus reçu à temps l'aide qui lui aurait peut-être permis d'atténuer la crise dans laquelle elle a glissé à partir de 1980. En outre, le gouvernement, tout à ses nationalisations, n'a pas trouvé le langage qui aurait sonné juste aux oreilles des entreprises sans lesquelles il était vain, dans une éco-

nomie de marché, d'envisager une coopération industrielle. En plaidant pour une « stratégie (...)
volontariste », M. Cot ne faisait pas mystère de son
dirigisme et, placé sous ce jour, son projet mort-né
d'institut de coopération industrielle ne rassurait pas,
bien qu'il annonçât le « guichet unique » si convoité
des opérateurs (73). M. Nucci s'est montré plus discret
et plus réceptif aux préoccupations du secteur privé
mais il ne répond pas fondamentalement mieux aux
souhaits des investisseurs, relatifs à la simplification des
procédures administratives et au financement de leurs
projets (74). Enfin, mal conçue et mal conduite, la
réforme de la coopération a lamentablement échoué.
Elle a immergé le ministère dans un désordre indes-
criptible à un moment où la nécessité d'une réorientation et de l'allègement de l'aide technique française se
faisait sentir avec acuité ainsi qu'en convenait le
« rapport Vivien » (juillet 1982), et elle l'a empêché de
suivre les initiatives intéressantes qu'il avait dans un
premier temps suscitées, comme le colloque de Nice
consacré à la coopération scientifique et technique. La
France continue ainsi à proposer à ses partenaires une
assistance technique de substitution désormais inadaptée à l'état de leur société et surchargeant les bud-

---

(73) Voir par exemple *Conférence de presse de M. J.-P. Cot, ministre-délégué
chargé de la Coopération et du Développement le 10 mai 1982*, ministère des Relations
extérieures, ministère de la Coopération et du Développement, Service d'information et de presse, multigr., pp. 6 et suiv. ; « Allocution de Monsieur Jean-Pierre
Cot, ministre-délégué chargé de la Coopération et du Développement », in
CEPIA, *Dix ans de promotion industrielle en Afrique : réalisations et perspectives.
Journée d'étude du 22 juin 1982*, pp. 38-45 ; J.-P. Cot, *op. cit.*, pp. 161 et suiv.
(74) M.-C. Smouts, *art. cit.*, pp. 807-816. A la fin de l'année 1983, l'industriel
en mal de coopération avec les pays du Sud devait toujours s'adresser à une ving-
taine de « guichets » dépendant de plusieurs départements ministériels (Source :
*Discours de M. Pascal Gendreau, directeur du cabinet au ministère des Relations exté-
rieures. Service coopération et développement, pour le colloque « Coopération technologique et industrielle. France-Tiers monde »*, Marseille, 26-27 septembre 1983, multigr.,
p. 4).

gets nationaux en période de crise (75). En d'autres termes, elle se trouve dans une situation purement défensive, qu'ont illustrée la diminution précipitée de son dispositif de coopération en Côte-d'Ivoire, pendant l'hiver 1983-1984, et son embarras à répondre aux demandes du nouveau régime guinéen.

Au regard de ce bilan, on ne s'étonnera pas outre mesure que le terrain de bataille décisif ait été négligé. Dans le courant des années soixante-dix, nombre de pays africains, désireux d'accroître leur marge de manœuvre à l'égard de la France, ont emprunté sur le marché international. Terrassés par la crise, ils se sont réveillés pris aux rets d'une nouvelle dépendance, à l'égard du Fonds monétaire international et de la Banque mondiale. Dans les zones traditionnelles de la coopération bilatérale française, les interventions multi-latérales de ce groupe sont passées « au premier rang dans les deux domaines les plus sensibles de la poli-tique économique des pays en développement : "l'aide aux investissements" et les "prêts hors projets", le plus souvent assortis de conditionnalités macro-économiques ou sectorielles » (76). En ce qui concerne les condition-nalités, la Banque mondiale, en dix ans de travail systé-matique, a développé une doctrine globale des politi-ques d'ajustement structurel qu'elle préconise, quelles que soient par ailleurs les divergences, parfois vives, qu'elle abrite en son sein. Son approche, d'inspiration

---

(75) La charge des rémunérations des coopérants envoyés en longue durée pèse largement sur les États principaux bénéficiaires qui ont été amenés, dans le courant des années soixante-dix, à participer aux dépenses grâce à la politique dite de glo-balisation du ministère de la Coopération et aux accords particuliers. Fait mal connu : la coopération française coûte souvent cher aux États auxquels elle s'adresse. L'on estime ainsi que « l'économie pour le budget ivoirien après le départ des 1 000 coopérants français [J.-F. B. : décidé en mars 1984] est évaluée à 10 milliards de francs CFA à partir de 1986 » (*Marchés tropicaux et méditerranéens*, 23 mars 1984, p. 694).

(76) Cette analyse et les citations qui la nourrissent sont tirées d'un entretien avec un expert français, corroboré par d'autres interviews.

néo-classique, a pour atouts sa cohérence formelle,
l'ampleur de l'information statistique qui l'étaye, son
caractère moderniste au regard du « conservatisme néocolonial » qui lui permet de lever le voile sur les désé-
quilibres et les conflits potentiels des systèmes économiques établis depuis les indépendances. La Banque
mondiale est devenue la première force de proposition
économique du continent, comme en a témoigné
l'audience du « rapport Berg », en 1981. Par les conditions qu'elle associe à l'octroi de ses prêts d'ajustement
structurel et les pressions qu'elle exerce sur les administrations nationales, elle est en mesure de faire passer
dans la réalité ses thèses favorites : « La Banque, associée au FMI, tend à se comporter dans les PVD
comme un ministère de l'Économie et des finances au
niveau mondial et poursuit des objectifs de standardisation des administrations économiques, de mise en place
de possibilités de décentralisation des décisions économiques à partir de Washington, et de contrôle des
orientations de politique économique dans les pays où
elle intervient. » En particulier, la BIRD procède à la
standardisation et à la centralisation de l'information
statistique à Washington (y compris l'information
« fine », comme les protections effectives par sous-sec-
teurs), à l'élaboration de modèles macro-économiques
par pays, à la standardisation des méthodes
d'évaluation ; elle appuie également l'élaboration des
données nécessaires au fonctionnement de ces outils, la
réorganisation des administrations économiques nationales de façon qu'une décentralisation des décisions
économiques dans les ministères techniques soit possible, la réorientation des politiques économiques
autour d'ajustements quasi automatiques aux prix internationaux. Le projet politique sous-jacent à cette stratégie est limpide : la mondialisation de l'économie sous
le leadership américain. Plus précisément, la Banque

mondiale poursuit deux objectifs complémentaires : l'insertion des économies des pays en voie de développement dans l'économie mondiale sous la forme de la spécialisation selon « l'avantage comparatif » et des ajustements en réponse aux prix internationaux ; la dissolution des zones d'influence prépondérante des anciennes métropoles coloniales et leur ouverture à l'influence américaine. Il est d'ores et déjà patent que la Banque mondiale, dans les pays africains, cherche à « éliminer ou à se subordonner tous les concurrents qui pourraient soit tenter de promouvoir d'autres règles d'organisation et d'autres méthodes que les siennes, soit lui être opposés comme expertise par les pays africains, ce qui rendrait à ces pays une plus grande marge d'initiative et ramènerait la Banque dans son rôle d'expert au sein d'une pluralité ». L'on imagine le parti que les investisseurs américains tireront de cette hégémonie, le moment venu. Déjà, les États-Unis développent leur présence dans les domaines de l'éducation, de la recherche, de la santé, de l'agronomie, pariant résolument sur l'avenir et sur les créneaux les plus rentables, s'appuyant sur les pays-clés du continent (comme le Sénégal, la Côte-d'Ivoire, le Cameroun, le Gabon, le Nigeria, le Zaïre, le Kenya).

Face à cette menace, le discours tiers mondiste et volontariste de la gauche française paraît éthéré. Les textes plus techniques — tel le rapport du IXe Plan — sont, eux, franchement ambigus, faisant état de réserves ou de divergences à l'égard des options retenues par les organismes multinationaux mais recommandant des collaborations et des co-financements avec ceux-ci. Peu importent, en définitive, ces flottements puisque dans la réalité la politique française en matière financière et macro-économique s'élabore sous la direction du Trésor, dont les fonctionnaires sont en majorité acquis ou résignés aux thèses du FMI. Loin de se constituer en une force concurrente de proposition, l'administration française se situe par rapport à l'aide multilatérale, subordonnant par exemple sa propre intervention à la signature d'un accord *stand-by*. Elle entend plutôt soutenir les pays concernés dans leurs discussions avec le FMI et engager des programmes financiers d'accompagnement pour atténuer les effets négatifs des conditions imposées par celui-ci. Elle dispose d'ailleurs pour cela d'une justification réelle — l'insuffisance des moyens français, malgré l'augmentation de l'aide publique au développement de 1981 à 1984 —, et d'un atout certain, le secrétariat du Club de Paris qu'elle assure. Mais un expert peut conclure : « Si les déclarations politiques, d'une part, le volume des flux d'aide publique bilatérale, d'autre part, suggèrent que la coopération française pourrait faire contrepoids aux interventions de la BIRD et du FMI dans les pays d'Afrique francophone, être le lieu d'une réflexion économique indépendante et à l'origine de contre-propositions, l'examen des orientations concrètes montre que l'administration a choisi dans les faits la poursuite d'interventions traditionnelles pour les projets et l'alignement sur le FMI et la BIRD pour les orientations générales nouvelles » (77). Le gouvernement lui-même ne semble pas avoir saisi l'ampleur de l'enjeu. L'effort non négligeable de recherche auquel il a consenti n'a guère de prise sur les dynamiques économiques contraignantes (78), et les structures les plus compé-

---

(77) Sources : *ibid.*

(78) Voir par exemple, sous la direction de J. Berque, *Recherche et coopération avec le Tiers monde. Rapport au ministre de la Recherche et de l'Industrie*, Paris, La Documentation française, 1982.

La « loi d'orientation et de programmation pour la recherche et le développement technologique de la France » a institué en juillet 1982 un programme mobilisateur « recherche scientifique et innovation technologique au service du développement du Tiers monde », structuré en « champs » sectoriels. Le champ « stratégies du développement » s'est donné comme perspective la « formalisation d'une approche originale des problèmes du développement du Tiers monde, alternative

tentes en la matière — telles les sociétés d'études filiales de la Caisse des dépôts et consignations — ont été délaissées. Déjà, un rapport commandé par le gouvernement de M. Barre, en 1980, déplorait que « la principale faiblesse du dispositif français réside dans le nombre limité d'experts techniques non enseignants exerçant des fonctions de conseil dans le développement économique des États » et signalait que « la nécessité de faire une plus large part aux préoccupations d'ordre économique est aujourd'hui admise par les plus hautes autorités, dans l'ensemble des départements ministériels ». Le même document ajoutait un peu plus loin : « Il conviendrait d'abord de s'attacher à mieux connaître les faits. L'analyse de l'action actuelle de la France s'est révélée fort malaisée faute d'un instrument statistique homogène et exhaustif. Il est nécessaire d'améliorer cet instrument et de prévoir une procédure qui rende obligatoire et nécessaire l'examen périodique de la réalité... » (79). Là où la droite, férue d'économie, avait fait preuve de négligences coupables, la gauche, qui avait constamment critiqué la dérive « mercantiliste » de la coopération, avait à vrai dire peu d'atouts pour réussir cette reconversion. Ce à quoi il faut ajouter, en toute équité, que le caractère substitutif de l'aide française rendait de toute façon malaisée une telle transformation : 95 % des missions sont de longue durée et « il en découle une très grande rigidité dans la gestion annuelle des crédits, voire dans leur gestion pluriannuelle, dans la mesure où il s'agit de dépenses de personnel largement reconductibles d'une année sur

au seul courant formalisé existant, et donc dominant : celui forgé autour et véhiculé par le groupe de la Banque mondiale ». En octobre 1984, ce « champ » n'a encore lancé aucune étude.

(79) *Rapport du groupe de travail sur la coopération technique présidé par M. Charpentier, inspecteur général des finances (Madame Maillet, inspecteur des finances, rapporteur),* Paris, s.d. (1980), multigr., pp. 34 et 65.

l'autre » (80). Mais ces bonnes raisons ne changent rien au fait que l'Élysée a laissé un angle mort considérable dans sa vision d'ensemble du continent. Au cœur même du « noyau dur » francophone, la voie est laissée libre à une pénétration américaine d'envergure alors que seul un travail de longue haleine, similaire à celui qu'a entrepris la Banque mondiale dans le courant des années soixante-dix, serait en mesure de la contrarier. Dépourvu de base concrète, le dessein d'une « autre coopération », qui aurait posé la France en partenaire privilégié et différent de l'Afrique noire, n'est qu'un mirage. Une fois de plus, la gauche aura préféré les mots aux choses.

L'élaboration de la politique africaine de la France

Au regard des objectifs que M. Mitterrand s'est assignés en Afrique, on ne retrouve pas la fermeté et la vigueur de la politique qu'il avait tracée au début des années cinquante, avec des accents quasi visionnaires. Le chemin emprunté depuis trois ans ne permettra pas de relever les défis des décennies à venir. Dans la mesure où la diplomatie subsaharienne de la France s'appuie de préférence sur des pouvoirs personnels, déjà anciens, voire déclinants, ses acquis sont fragiles comme l'a opportunément rappelé la mort soudaine de Sékou Touré, auquel l'Élysée avait tant sacrifié en deux ans. A l'inverse, des partenaires plus importants économiquement ou plus significatifs politiquement ont

---

(80) *Ibid.*, p. 24.

été curieusement sous-estimés, tels le Nigeria ou le Cameroun. Plusieurs des questions primordiales qui tarauderont les prochaines années sont laissées sans réponse. A l'Afrique des successions, dont le cœur avait battu au cours de la campagne électorale française de mai 1981 et qui ne s'accommode plus de « l'émasculation politique » (81) qui lui a été infligée, M. Mitterrand n'a plus aucun message à adresser, autre que celui de l'interdiction des manifestations d'opposants réfugiés à Paris. Singulier mutisme que le sien sur les principales valeurs politiques que l'Europe est censée incarner mais qui revêtent aujourd'hui une portée universelle et dont se réclament un nombre croissant d'acteurs au sud du Sahara. Comme hier, l'Élysée est avare de paroles quand la démocratie est en jeu sous les tropiques, quels que soient les contours que les Africains entendent donner à celle-ci. En matière de dissidence, il continue d'y avoir deux poids et deux mesures entre l'Est et le Sud... Que la gauche ait à cet égard déçu, alors qu'il était tant attendu d'elle, suffira sans doute à compromettre l'influence française en Afrique noire, en en accentuant le caractère « néo-colonialiste » ; toutes illusions étant dissipées, ce que l'on imputait à la seule droite, dans l'espoir de jours meilleurs, sera désormais inscrit au passif de la France elle-même. Il en est de la coopération politique comme de la coopération économique. Les Africains ne souhaiteront le maintien de la présence française qu'à qualité égale, si l'on peut dire. Or la perpétuation du style familial des relations franco-africaines, au détriment de rapports plus institutionnalisés dont sont demandeurs certains États subsahariens, inhibe l'instauration d'un dialogue politique au sens plein du terme, entre partenaires égaux. Vingt-quatre ans après l'indépendance, il

---

(81) *Independent Kenya*, Londres, Zed Press, 1983.

n'est pas encore concevable que le président de la République française se rende en Afrique noire comme il visite New Delhi ou Alger. Question de style mais aussi de fond.

En outre, la politique africaine de M. Mitterrand pêche doublement eu égard aux objectifs qu'elle poursuit. Elle méconnaît le champ d'action essentiel et elle omet de préparer un partage d'influence qu'elle sait pourtant inéluctable. En d'autres termes, elle se cantonne à un combat d'arrière-garde que, de surcroît, elle mène presque en dilettante. Un moment dissimulé par l'énergie du verbe, l'étiolement de la politique africaine de la France, patent depuis la fin des années soixante malgré les ouvertures partielles de G. Pompidou et de V. Giscard d'Estaing (82), a repris. La droite serait indécente de pavoiser car là aussi la continuité est manifeste. Il est d'ailleurs éloquent que la plupart des impasses dans lesquelles s'est fourvoyé M. Mitterrand renvoient aux insuffisances de ses prédécesseurs, à commencer par la sclérose de la coopération, le pourrissement du conflit tchadien, l'absence de résistance effective à l'offensive économique américaine. Sur certains points, le président de la République a fait mieux ; sur d'autres, il a fait pire. Mais dans les deux cas, c'est une époque qui n'en finit pas de s'achever, malgré l'illusion précaire d'un nouveau départ, la première année du septennat.

D'aucuns y verront la destinée d'un néo-colonialisme essoufflé, le triomphe économiciste des structures de la dépendance. Ils auront en partie raison car la métaphysique a rarement tort. Néanmoins, on ne peut s'empêcher de penser, au vu de ce bilan, que le « grand dessein » eût pu être plus rigoureusement géré.

---

(82) Voir Querculus, « Politique française en Afrique noire (1958-1983) », *Études*, décembre 1983, pp. 608 et suiv.

Le projet de M. Mitterrand et l'espérance qui l'accueillait méritaient mieux que l'amateurisme qui a prévalu dans l'élaboration et la conduite de la politique africaine de la France depuis 1981.

Avec le départ du gouvernement de M. Cot, la prise de décision s'est concentrée à l'extrême entre les mains du président de la République. Il est loin d'être certain que la cellule du 2 de la rue de l'Élysée ait un rôle autre que celui de communication avec les chefs d'État africains. De l'avis général, M. Mitterrand tranche seul à partir de ses entretiens avec Guy Penne, son fils Jean-Christophe, Christian Nucci, Claude Cheysson, Roland Dumas, François de Grossouvre, probablement d'autres interlocuteurs, moins souvent cités (Hubert Vedrine, Jacques Attali, le général Saulnier, Régis Debray...). Dans l'affaire du Tchad (1983-1984), le Quai d'Orsay et le ministère de la Défense nationale ont également exprimé leurs vues, antagonistes, au moment de la conception de l'opération Manta et de son rappel, sans que l'on puisse véritablement parler de participation à la prise de décision ; il est révélateur à cet égard que le président de la République ait intimé l'ordre à ses ministres de ne se livrer à aucun commentaire, au plus fort de la crise (juillet-août 1983) (83). De même, le Parti socialiste, réputé exercer une influence plus nette qu'hier le Parti républicain ou avant-hier l'UDR, n'a pas eu le poids dont l'ont crédité la presse d'opposition et nombre de gouvernements africains, avides de nouer des liens avec lui ; Lionel Jospin, malgré ses petits déjeuners hebdomadaires avec le chef de l'État, ne paraît pas, par exemple, avoir été consulté lors du déclenchement de l'opération Manta, alors même qu'il l'eût approuvée selon toute vraisemblance.

---

(83) Sources : entretiens.

Simultanément à ce processus de concentration, un processus contraire d'émiettement de la mise en œuvre de la politique africaine de la France est survenu. Les hommes du 2 de la rue de l'Élysée ne sont plus les seuls exécutants du Président et paraissent même avoir été déchargés des dossiers les plus délicats : le raccommodement avec le capitaine Sankara, à la fin de l'été 1983, fut le fait de Jacques Huntzinger et de Christian Nucci ; la longue négociation entre Tripoli et Paris, d'août 1983 à septembre 1984, fut principalement menée par Claude Cheysson et Roland Dumas ; ce dernier intervint également, de concert avec François de Grossouvre, pour remédier à la détérioration des relations avec le Gabon. En revanche, d'autres problèmes cruciaux (comme ceux de l'Afrique australe) et le suivi quotidien des relations franco-africaines relèvent toujours de l'étroite collaboration qui semble s'être instaurée entre Guy Penne et Jean Ausseil, le directeur des affaires africaines et malgaches au Quai d'Orsay. Les questions économiques, quant à elles, continuent d'être traitées rue de Rivoli.

Extrême concentration de la décision, dilution de l'exécution : bien des indices donnent à penser que la politique africaine de la France n'y gagne pas en cohérence. Disons-le tout net : comme du temps de M. Giscard d'Estaing, plus aucun responsable n'a une vue globale des relations franco-africaines. Par définition, le Président ne peut tout faire. Or, il se serait opposé en 1981 à ce que la cellule élyséenne fût composée d'une véritable équipe, dotée d'instruments d'analyse conséquents, afin d'éviter de reconstituer un appareil de type « foccardien » et de doubler les structures officielles de l'administration (84). La fonction d'expertise, si tant est qu'elle soit assurée, est dissé-

_____

(84) Sources : entretiens.

minée en plusieurs lieux — la Direction des affaires africaines du Quai d'Orsay, les postes diplomatiques au sud du Sahara, la DGSE, le réseau des amitiés personnelles plus ou moins regroupées dans l'Association démocratique des Français de l'étranger, le Centre d'analyse et de prévision du ministère des Relations extérieures, le groupe « Afrique » du Parti socialiste — et elle reste très imparfaitement raccordée au(x) centre(s) de décision, sur la base de relations individuelles. En outre, elle est privée des moyens matériels qui lui permettraient de s'accomplir efficacement et d'assumer la dimension prospective ; en particulier, la « structure de réflexion sur l'avenir » qui s'est édifiée autour de Jacques Attali à l'Élysée, sous forme d'une nébuleuse de groupes informels (85), ne s'est pas préoccupée, à notre connaissance, des questions africaines.

Aussi plusieurs dossiers cruciaux paraissent-ils avoir été traités par l'Élysée en marge du professionnalisme le plus élémentaire. Effectué, selon certaines informations, grâce à une médiation du Parti socialiste et ouvrier espagnol (86), le rapprochement avec le GUNT, en mai-juin 1981, a reposé sur une évaluation insuffisante de ses capacités politiques et militaires. L'on est aussi en droit de s'interroger sur les négociations menées pendant l'été par Jean-Pierre Campredon avec M. Goukouni et le maréchal Nemeiry, compte tenu de l'attitude des uns et des autres durant l'hiver suivant. Il était pour le moins imprudent de faire pression auprès de M. Goukouni pour qu'il demande le rapatriement des troupes libyennes en s'entourant de garanties aussi maigres (87). Par la suite, on a reproché

---

(85) M. Szafran, S. Ketz, *Les familles du Président*, Paris, Grasset, 1982, p. 190.
(86) Source : entretien.
(87) Avant sa mort, Ahmat Acyl a certifié que la France n'avait pas demandé à M. Goukouni d'exiger le rappel des troupes libyennes et que celui-ci avait agi de sa propre initiative, « sans s'être assuré de garanties correspondantes » (*Jeune Afrique*, 7 juillet 1982). Cette thèse est écartée par la plupart des spécialistes.

à la cellule élyséenne d'avoir sous-estimé la menace libyenne après la formation du gouvernement de Bardaï, et plus spécialement après la chute de Gouro et d'Ounianga-Kebir, en février-mars 1983 (88). Accusation peut-être excessive et pas toujours bien intentionnée, comme nous l'avons constaté, sur laquelle l'historien devra se prononcer. A aucun moment, néanmoins, un traitement systématique de l'information disponible sur les rapports des forces en présence, sur la politique africaine de la Libye ou sur la configuration politique si complexe du Tchad ne semble avoir été mis au regard de la prise de décision politico-militaire, bien que les experts aient existé, y compris au sein du Parti socialiste. La même indolence dans l'analyse nous paraît avoir présidé aux relations avec le Nigeria, le Cameroun, la Haute-Volta ou, dans une moindre mesure, avec les pays d'Afrique australe. Elle est encore plus criante au plan économique : cette dimension n'est pas suivie au 2 de la rue de l'Élysée, et le ministère de la Coopération et du développement, qui aurait pu contrebalancer la philosophie du ministère de l'Économie et des finances, est en perdition. Plus généralement, la Présidence, faute de réflexion adéquate, se réfère à une image figée, presque folkloriste, en tout cas culturaliste, du continent et n'est pas suffisamment consciente des mutations politiques qui le travaillent. Confrontée à des sociétés en plein changement, productrices de leur avenir, elle pilote à vue d'après des repères simplistes et au travers du filtre patrimonialiste. Ainsi en fut-il, par exemple, de la crise de succession au Cameroun, abusivement personnalisée et réduite à un antagonisme régional. Après son retrait, M. Ahidjo

---

(88) J.-M. Kalflèche, « Pourquoi la France est intervenue si tard », *Le Quotidien de Paris*, 16 août 1983 et « Les questions auxquelles Mitterrand devra bien répondre un jour », *ibid.*, 24 août 1983 ; F. Soudan, « Ce que Mitterrand n'a pas dit », *Jeune Afrique*, 7 septembre 1983.

fut implicitement crédité des égards dus à l'ancienneté dans la plus pure logique des ressorts culturalistes de la domination postcoloniale, telle qu'elle prévaut en Côte-d'Ivoire, au Togo, au Gabon ; du même coup, la légitimité constitutionnelle de M. Biya et le projet politique dont il était porteur s'en trouvaient oblitérés et amoindris, au risque d'être plus facilement combattus par ceux qui les contestaient. En donnant l'impression de mettre sur le même plan MM. Ahidjo et Biya, en omettant de choisir ce que l'on appelait à Yaoundé la « légalité républicaine », l'Elysée a involontairement contribué à déstabiliser le Cameroun, sans pour autant se livrer aux manœuvres dont on l'a soupçonné de part et d'autre.

On comprend mieux, dès lors, le maillage trop lâche de la politique africaine de M. Mitterrand depuis 1981. Elle se décide largement au jour le jour, sans être intégrée dans une perspective globale et dynamique, quand l'aggravation des contraintes exigerait un tracé autrement plus ferme. De toute évidence, le président de la République ne s'est pas donné les moyens de son « grand dessein ».

III

L'ABDICATION IDÉOLOGIQUE DE LA GAUCHE

Interrogé, en mai 1981, sur les orientations de la politique étrangère du nouveau gouvernement, M. Cheysson insistait sur la continuité qui prévaudrait en un premier temps mais il ajoutait que « peu à peu on verra se dégager des lignes politiques différentes » (1). En ce qui concerne l'Afrique, c'est exactement l'inverse qui s'est produit. Il nous faut maintenant répondre à la deuxième question que nous nous posions et tenter d'expliquer pourquoi les tenants d'une transformation sensible des relations franco-africaines se sont trouvés progressivement marginalisés au profit d'une pratique plus traditionnelle de la diplomatie et de la coopération subsahariennes.

Bien sûr, il serait opportun de rappeler, une fois de plus, les contraintes financières avec lesquelles la France doit pactiser et de se demander ce que *pouvait* entreprendre à cet égard un gouvernement de gauche. La réponse serait loin d'être encourageante. Il n'empêche que la constance des relations franco-africaines traduit *aussi* un rapport de forces entre acteurs politiques, porteurs de représentations idéologiques différentes. Le profil de la diplomatie subsaharienne mise en œuvre depuis trois ans témoigne d'une ligne de continuité qui confère quelque à-propos au pronostic sévère de Robin Luckham quand, en décembre 1981, il parlait « (d') exemple très net (...) d'un système impérialiste reproduisant une idéologie impérialiste, même parmi ceux que l'on soupçonnerait le moins d'y

_____

(1) « Un entretien avec M. Claude Cheysson », *Le Monde,* 28 mai 1981. Voir aussi l'entretien de M. Cheysson au *Club de la presse du Tiers monde,* Radio France internationale, 17 juillet [1982] (MFI 820725), pp. 39-40.

adhérer » (2). L'idée que les responsables de la politique africaine de la France se font du continent ne demeure-t-elle pas tributaire du passé ?

Peut-être savons-nous déjà l'essentiel maintenant que nous avons en mémoire l'ancienneté de l'engagement africain de M. Mitterrand. « (...) L'audience de la France en Afrique, c'est ce qu'elle a de meilleur dans sa continuité (...). La France joue un rôle conforme à sa grandeur historique (...) c'est ce qu'elle a de meilleur dans sa continuité, la politique française dont je suis pour l'instant le responsable », déclarait celui-ci à Kigali, sans guère de circonvolutions (3). Et à Cotonou, il rétorquait à un journaliste : « (les relations franco-africaines) n'ont pas besoin d'évoluer, elles sont bonnes » (4). Un tel attachement de M. Mitterrand à l'épure classique des rapports franco-africains était en soi déterminant, compte tenu de la primauté présidentielle que consacre la pratique constitutionnelle. Des éléments propres au septennat ont même accentué ce déséquilibre consubstantiel à la Vᵉ République et ont pénalisé les hommes ou les groupes qui s'étaient le plus manifestement réclamés d'un renouvellement. M. Cot, parce qu'il s'était rallié à M. Rocard lors du congrès de Metz, en 1979, était condamné à être tenu en suspicion par l'entourage présidentiel. Au sein du Parti socialiste, le secrétariat international, jugé trop complaisant à l'égard de la cause palestinienne, a vite été taxé de « gauchisme » par des caciques comme Jean Poperen et n'a rencontré qu'une audience limitée. La base, quant à elle, s'est montrée assez indifférente à

(2) R. Luckham, « Le militarisme français en Afrique », *Politique africaine*, 6, mai 1982, p. 69.

(3) « Allocution prononcée par M. François Mitterrand, président de la République française au cours du déjeuner offert par le Président du Rwanda », Kigali, 7 octobre 1982, pp. 4 et 7.

(4) « Conférence de presse par M. François Mitterrand, président de la République française », Cotonou, 16 janvier 1983, p. 8.

l'égard des questions africaines, en dehors de la crise tchadienne en 1983-1984, et elle n'a pas appuyé la voie du changement. A l'inverse, M. Mitterrand, qui octroie la plus grande considération à la fidélité politique, a recruté plusieurs de ses principaux exécutants « africanistes » — Guy Penne, François de Grossouvre, Roland Dumas — parmi ses compagnons les plus anciens, ceux de la Convention des institutions républicaines des années soixante, voire de l'UDSR des années cinquante. L'orientation programmatique du septennat s'est d'ailleurs rapidement affirmée plus mitterrandienne et « républicaine » que socialiste. Il n'apparaît pas, en définitive, que les thèses de la rue de Solférino relatives à l'Afrique aient jamais lié l'Élysée, si tant est qu'elles aient fait l'objet d'un échange de vues approfondi entre M. Mitterrand et M. Jospin (5).

Mais la partie était-elle pour autant jouée par avance ? On ne peut l'affirmer aussi péremptoirement. Le président de la République, quelle que soit sa prééminence, n'échappe pas à l'air du temps. Depuis 1981, il a composé avec celui-ci, par exemple en procédant à un *aggiornamento* de sa pensée économique. S'il ne l'a pas fait dans le domaine des questions africaines, il convient d'en dégager les raisons. Il serait abusif de postuler l'intangibilité absolue des idées « africanistes » de M. Mitterrand des années cinquante aux années quatre-vingt, ou même de 1981 à 1984. Ne serait-ce que sur cette dernière période, le président de la République s'est livré à un ajustement de sa politique internationale, sinon à un véritable « recentrage » (6). Que

---

(5) Source : entretien.
(6) S. July, « Du bon usage de la crise des euromissiles », *Libération*, 18 novembre 1983. Pour une interprétation différente de la diplomatie de M. Mitterrand, voir J. Daniel, « L'obsession du Tiers monde », *Nouvel Observateur*, 26 août 1983.

l'on fasse remonter celui-ci, pour ce qui est de l'Afrique, au Conseil interministériel du 8 juin 1982, aux premières tournées subsahariennes, au départ de Jean-Pierre Cot ou au lancement de l'opération Manta, l'option « tiers mondiste » en a été la victime relative. La bataille politique et idéologique qui s'est livrée, au lendemain du 10 mai, autour de la redéfinition des relations franco-africaines n'a pas été indifférente à cet égard. Or elle n'a pas été suffisamment comprise sur le moment. Ce ne sont point seulement la revanche sournoise des structures économiques, ni la fidélité du chef de l'État à son passé qui ont imprimé leur marque indélébile sur l'axe franco-africain depuis 1981 ; c'est également, c'est surtout un affrontement que la gauche n'a pas su gagner.

L'offensive du « noyau dur »

Sitôt élu M. Mitterrand, une vive campagne s'est déclenchée pour la prorogation d'une politique africaine conférant la priorité au « noyau dur » de la famille francophone, celui, en quelque sorte, de la défunte Communauté, élargi à des partenaires jugés de qualité, tel le Zaïre. Cette vision stratégique était alimentée à la fois par les États africains concernés, soucieux de ne pas voir s'éparpiller l'aide dont ils jouissaient au premier chef, et par certains milieux français. Il serait puéril d'accorder à cette mouvance une cohérence, par exemple foccardienne ou maçonnique, qu'elle n'eut jamais unanimement. D'âpres conflits, d'ordre partisan, associatif, matériel ou personnel, la déchirent. Elle partage néanmoins une idée et une sentimentalité communes des rapports franco-africains. Annoncée par une décennie de dénonciation marxisante ou tiers mondiste du néo-colonialisme, l'arrivée de la gauche au pouvoir était de nature à effrayer les partisans de cette préférence francophone. En agitant l'épouvantail du « désengagement », ceux-ci poursuivaient cependant un combat antérieur à mai 1981. Peut-être même décelèrent-ils dans le trouble que causait la victoire électorale de M. Mitterrand l'opportunité de rétablir une situation dont ils pensaient qu'elle n'avait cessé de se dégrader au cours du précédent septennat. Le départ de Jacques Foccart du 2 de la rue de l'Élysée, la réorganisation du SDECE, l'ouverture progressive de la diplomatie française aux États lusophones et anglophones, le remplacement de René Journiac par Martin Kirsch, l'élargissement de la conférence franco-africaine, le renversement de Jean-Bedel Bokassa, le retrait du Tchad, l'évolution de la coopération ont été autant d'étapes de la rupture entre ceux que l'on appellera par commodité les « francophones » et M. Giscard d'Estaing. Encore convient-il de préciser que cette fracture ne se comprend entièrement que sur le fond de la guérilla qui opposa le président de la République d'alors à son ancien Premier ministre, Jacques Chirac (7). La permanence de l'argumentation des « francophones », de 1980 à 1984, en faveur notamment d'un engagement militaire au Tchad et du maintien de structures de coopération aux compétences géographiques restreintes, témoigne de la récurrence de ce courant d'opinion. Si l'on ajoute, un peu par pléonasme, qu'il déploie une vive susceptibilité anticommuniste, qu'il discerne dans le Bénin et le Congo-Brazzaville de dangereuses bases rouges, qu'il adresse des œillades volontiers indulgentes à la République sud-afri-

---

(7) Cf. notamment P. Péan, *Affaires africaines,* Paris, Fayard, 1983.

caine en vertu de sa contribution à la défense du monde libre, qu'il chante jusqu'à l'adulation, et pour les mêmes raisons, les talents martiaux d'un Hissène Habré ou d'un Jonas Savimbi, qu'il loue les « miracles » économiques « modérés » et se gausse des déconvenues « socialistes », l'on aura une idée assez juste de sa taxonomie idéologique et, par décalcomanie, des griefs qu'il nourrit à l'endroit de la politique africaine de la gauche.

D'emblée, les « francophones » lancèrent une offensive de grande envergure en direction de l'Élysée, faisant flèche de tout bois, ne relâchant à aucun moment leur pression, mettant constamment en avant le modèle des relations franco-africaines telles qu'ils les concevaient. Ils prirent très vite l'avantage sur le terrain de la presse écrite, tantôt parce qu'ils en contrôlaient déjà les colonnes consacrées au continent, tantôt parce qu'ils bénéficièrent d'affinités personnelles ou idéologiques avec les journalistes de ces rubriques. On peut dire que seul *Libération* échappa complètement à l'influence de leurs analyses sous la signature de Pierre Haski. *Le Monde,* en revanche, les partagea à plus d'une reprise. Philippe Decraene, le chef du bureau « Afrique » jusqu'à l'été 1983, y était en fait acquis tout en étant proche de François Mitterrand et en ayant des relations parfois orageuses avec certains des ténors « francophones » comme Jean-Marc Kalflèche, Gilbert Comte ou Michel Lambinet. Le correspondant du journal à Dakar, Pierre Biarnès, écrivait dans le même sens alors qu'il « couvrait » la moitié occidentale du continent, Zaïre compris. Par la suite, le bureau « Afrique » du célèbre quotidien fut réorganisé, avec les conséquences que nous avons déjà signalées ; néanmoins, il développa sur le conflit tchadien une interprétation finalement assez proche — l'outrance en moins — de celle des « francophones » en plaçant l'accent sur la dimension Est-Ouest du problème et sur la sauvegarde du « pré carré » (8).

Entendons-nous bien : il ne s'agit nullement de flétrir une ligne d'analyse qui est légitime. L'audience qu'elle reçut, du reste, s'explique souvent par la convenance de ses arguments et par la qualité de son information. Notre intention est de cerner le mode de fonctionnement et d'amplification d'un paradigme idéologique qui, par son intensité, a concouru à façonner la politique africaine de la gauche. L'impact en fut d'autant plus fort que fut troublante, tout au long de ces trois années, la conjonction, pour ne pas dire la coordination, des différentes étapes de cette campagne politico-journalistique avec les démarches propres des chefs d'État d'Afrique francophone vis-à-vis de l'Élysée.

Si l'on en revient à leurs idéologues presque déclarés, la tactique des « francophones », pour être volontiers brutale, ne manqua pas de finesse. Elle consista à semer le doute sur la capacité des dirigeants socialistes, à dissocier de l'Élysée ceux d'entre eux qui militaient le plus ardemment pour un renouvellement des relations franco-africaines, à ridiculiser le moindre faux pas et à monter en épingle la plus infime difficulté de la diplomatie désormais poursuivie, à jeter le discrédit sur le projet de redéploiement de la coopération et sur les ambitions tiers mondistes qu'il attestait en évoquant le « messianisme » de Jimmy Carter, à crier au déclin de l'emprise française au sud du Sahara, à se faire l'écho des tentations américaines que disaient éprouver certains dirigeants du continent, un peu trop

---

(8) Voir l'échange de lettres entre B. Decq et A. Laurens in *Tchad nouvelles*, 6, décembre 1982, pp. 12-13. L'Association « Les amis du Tchad » qui publie ce bulletin est habituellement considérée comme liée à certaines des fractions du GUNT. On consultera également F. Chipaux, « Intervenir sans intervention », *Le Monde*, 13 juillet 1983 ; « Des Américains au Tchad », *ibid.*, 5 août 1983 ; J. Amalric, « Le prix de l'indécision », *ibid.*, 12 août 1983.

ostensiblement pourtant pour que l'on se dispense d'y réfléchir à deux fois.

Les publicistes du parti « francophone » perçurent rapidement les divergences inscrites en filigrane au sein de la nouvelle équipe et y enfoncèrent leur coin dans l'espoir de les aggraver. La véracité de leurs allégations dût-elle en souffrir — car, après tout, Guy Penne est lui aussi un membre éminent du parti — ils opposèrent l'Élysée, présumé raisonnable, aux « idéologues » du Parti socialiste. De la sorte, ils se conformaient au diagnostic de plusieurs chefs d'État qui pensaient, à l'instar de M. Bongo : « A côté du président de la République, Mitterrand, qui comprend bien les problèmes de l'Afrique, d'autres ne la connaissent pas. Pour eux le Gabon se trouve dans la planète Mars ou Jupiter » (9). « M. Mitterrand pourra-t-il, voudra-t-il avec constance mener sa politique africaine sans céder aux pressions du "lobby" idéologique du PS ? », s'interrogeait Gérard Badel dans *Le Nouveau Journal* (10). Dans le premier article conséquent qu'il donna au *Quotidien de Paris* — il écrivait auparavant pour *Le Figaro* — Jean-Marc Kalflèche renchérissait : « François Mitterrand, ministre des colonies en 1950, a été l'un des premiers à voir que la volonté d'émancipation de l'Afrique ne signifiait nullement qu'elle nous haïssait (...). Pourquoi faut-il donc qu'il laisse ses collaborateurs se livrer à des débats chichiteux et grotesques (...) » (11) ? Puis, quelques mois plus tard : « François Mitterrand, c'est évident, avait analysé depuis longtemps le phénomène franco-africain et l'avait accepté. Il vient encore de le démontrer et à chaque fois qu'on

---

(9) Interview de M. Bongo, *Club de la presse du Tiers monde*, Radio France internationale, 30 janvier 1984 (MFI 840202), p. 14.

(10) *Le Nouveau journal*, 13 août 1981.

(11) J.-M. Kalflèche, « Mitterrand l'Africain : le risque de l'incohérence », *Le Quotidien de Paris*, 3 novembre 1981.

essayait de le mettre en difficulté sur les faux pas de la "France socialiste" — expression qu'il récuse naturellement — on avait le sentiment qu'il s'adressait davantage à ses ministres, à ses partisans au sens étroit du terme, pour leur rappeler que la continuité historique valait mieux que "leurs expériences", même si celles-ci valaient le coup d'être tentées » (12). De son côté, Philippe Decraene, tout en soutenant fermement le cours de l'Élysée, ne cachait pas sa désapprobation à l'égard des « déclarations intempestives d'une petite minorité de cadres du parti (socialiste) », qu'il alla jusqu'à qualifier « d'activistes » lors de la tentative de coup d'État d'Ange Patassé à Bangui (13). Mais ces nuances ne furent pas longtemps de mise si l'on excepte quelques déclarations, parfois sibyllines, de représentants de l'opposition, tenant à souligner la continuité entre leur action passée et la diplomatie présente afin d'exciper de la justesse irréfragable de leurs vues (14). Le ton des « francophones » devint vite apocalyptique. « Rien ne va plus entre la France et l'Afrique », proclamait en mars 1982 Jean-Marc Kalflèche : « Les relations de la France avec l'ensemble du continent noir se dégradent à toute allure. Mais le phénomène est particulièrement sensible en Afrique centrale où les intérêts français sont grands (pétrole et gaz notamment) et les appétits des compétiteurs à proportion (poussée anglo-saxonne au Gabon et au Cameroun, pesante présence soviéto-

---

(12) J.-M. Kalflèche, « Mitterrand en Afrique : les liens de cœur l'ont emporté... », *Le Quotidien de Paris*, 27 mai 1982.

(13) P. Decraene, « Le sommet franco-africain », *Le Monde*, 3 novembre 1981 et (non signé), « Imbroglio à Bangui », *ibid.*, 11 mars 1982.

(14) « La politique africaine de M. Mitterrand est la même que celle de Giscard et elle n'a rien de socialiste », déclarait M. Messmer à la veille de la conférence franco-africaine de Paris (*Dernières nouvelles d'Alsace,* 1er novembre 1981). Un an plus tard, Robert Galley citait à ce propos la formule fameuse : « Le roi de France oublie les propos du duc d'Orléans » (« Entretien avec Robert Galley : il y a continuité dans la politique africaine de la France », *La Croix,* 10 novembre 1982).

cubaine au Congo, très grande incertitude sur les véritables intentions du bloc de l'Est au Tchad, etc.) » (15). Trois semaines plus tard, Claude Imbert se penchait sur les « méfaits du changement » : « Rien n'est encore irrémédiable mais après un an de pouvoir de gauche, le patrimoine français d'Afrique pâtit, à l'évidence, de deux virus parisiens : une idéologie tiers mondiste aventureuse et une certaine impéritie dans notre politique dite de coopération. C'est grand dommage. Car si la France conserve encore une dimension internationale que son hexagone ne justifie pas à lui seul, c'est pour beaucoup grâce au réseau politique, économique, culturel, affectif parfois qu'elle entretient en Afrique avec une quinzaine d'États, et d'abord avec ceux où des dizaines de millions d'hommes parlent sa langue » (16). Les « francophones » concentrèrent leur tir sur la rue Monsieur, disséquant avec délices les faiblesses de la nouvelle coopération, quitte à en déformer grossièrement les contours, et raillant ce que Jean-Marc Kalflèche appela, au prix d'une vraie fixation, les « cancuneries », comme si chaque mot prononcé au sujet de l'Amérique latine, chaque crédit engagé dans cette aire étaient soustraits, et pour tout dire dérobés à l'Afrique francophone. Le motif principal de leurs diatribes résidait dans la transformation du ministère jadis compétent à l'égard de vingt-six États africains en directions du ministère des Relations extérieures, chargées de la totalité de l'aide au Tiers monde, aussi bien bilatérale que multilatérale. La clarté avec laquelle M. Mitterrand choisit le « pré carré », au cours du Conseil interministériel du 8 juin 1982 et de ses deux premiers voyages au sud du Sahara, sonna donc comme

---

(15) J.-M. Kalflèche, « Rien ne va plus entre la France et l'Afrique », *Le Quotidien de Paris*, 31 mars 1982.
(16) C. Imbert, « Afrique : les méfaits du changement », *Le Point*, 19 avril 1982.

une victoire (17). Une fois parti Jean-Pierre Cot, et sans qu'ils prissent la peine de rappeler qu'il incarnait une ligne dure face à la Libye, les censeurs de la politique africaine de la gauche firent du Tchad leur terrain d'élection en soutenant à cor et à cri la cause d'Hissène Habré. Dès le mois de mai 1982, le *Quotidien de Paris* avertissait : « Au vrai, il y a continuité de la politique française en Afrique. Systématiquement, (les) fausses lunes sont présentées pour vraies. On verra quelle sera la réaction quand un véritable Kriegspiel se présentera. Ce sera l'élément qui déterminera les saint Thomas d'Aquin africains » (18). Peu après, il questionnait : « Qui peut s'étonner de la reconquête de Ndjamena par les Forces armées du Nord (...), dirigées par Hissène Habré ? Certainement aucun observateur sérieux et familier des affaires du Tchad. Il n'en est pas tout à fait de même pour les irresponsables qui prétendent diriger notre politique en Afrique à la place des gens compétents qui auraient dû en conserver la charge et qui criaient "casse-cou" depuis de longs mois, voire depuis des années » (19). L'on se souvient de la virulence des critiques qui furent adressées à l'Élysée quant au calendrier d'intervention militaire, à partir du printemps 1983, et des exagérations manifestes qu'elles comportaient. Cette lame culmina en août avec deux éditoriaux aux accents « fachodesques » assez comiques de la directrice des *Échos* :

« *La France a perdu la partie qu'elle jouait en*

---

(17) Voir par exemple, de P. Decraene, « Des partenaires privilégiés au sud du Sahara », *Le Monde*, 20 mai 1982 ; « Le "pré carré" de la francophonie », *ibid.*, 14 janvier 1983 et, de J.-M. Kalflèche, « Mitterrand en Afrique : les liens de cœur l'ont emporté », *Le Quotidien de Paris*, 27 mai 1982 ; « Coopération : Mitterrand met Jean-Pierre Cot au piquet », *ibid.*, 7 juin 1982 ; « Coopération : Mitterrand "enterre" le grand projet de Jean-Pierre Cot », *ibid.*, 10 juin 1982.

(18) J.-M. Kalflèche, « Mitterrand en Afrique : les liens de cœur l'ont emporté », *Le Quotidien de Paris*, 27 mai 1982.

(19) J.-M. Kalflèche, « Les socialistes avaient joué Goukouni, le perdant... », *Le Quotidien de Paris*, 8 juin 1982.

Afrique noire depuis l'accession à l'indépendance de ses anciennes colonies (...) le Tchad se trouve désormais officiellement inclus dans la confrontation Est-Ouest (...). Désormais le sort du conflit se joue avec des armes que nous ne possédons pas (...). Même si nous intervenons ouvertement en engageant nos troupes ou nos avions sur le terrain, la preuve est faite que notre pays n'a pas les moyens de sa politique (...). Il ne fait aucun doute en tout cas que François Mitterrand, poussé par on ne sait qui, vient de commettre sa première grande erreur stratégique ; et que la France paiera cette erreur très cher dans les années à venir car l'Afrique était le dernier espace où se jouait sa liberté, son indépendance, son autonomie de décision au sein du monde occidental. Ainsi se joue, sous les yeux indifférents d'une France en vacances, le dernier acte d'une aventure commencée il y a plus d'un siècle. Le Tchad, hélas ! » (20).

Puis, une semaine plus tard :

« Devenue socialiste un certain jour de mai 1981, (la France) a brusquement perdu de vue les raisons pour lesquelles elle se battait au sud du Sahara ; portée par l'inclination propre de ses dirigeants vers l'Amérique latine, elle en est venue à renier son passé africain » (21).

Simultanément, Jean-Marc Kalflèche, s'employant à rééditer la manœuvre qui avait si bien nui à Jean-Pierre Cot, attaquait ceux qui étaient réputés avoir prêché la modération militaire : Guy Penne, « enfermé dans sa pauvre arrogance » — une dizaine de jours auparavant, Hissène Habré avait injurieusement inclus celui-ci dans un « lobby pro-libyen » — et Claude Cheysson, accusé de « gambader dans les Caraïbes, alors que l'aide militaire française au Nicaragua a été de 100 millions de dollars contre 25 au Tchad (...), qui feint d'avoir un

(20) Favilla, « Le Tchad, hélas ! », *Les Échos,* 10 août 1983.
(21) Favilla, « Reniement », *Les Échos,* 18 août 1983.

rôle au Nicaragua mais qui freinerait des quatre fers au Tchad » (22).

Les « francophones » sortirent vainqueurs de cette campagne dans une proportion telle qu'il est peut-être abusif de parler de bataille idéologique comme nous l'avons fait. La gauche, en effet, semble avoir baissé les armes au centre du dispositif de pouvoir dont elle disposait. Avec une facilité déconcertante, elle s'est rendue aux injonctions des « francophones », hors la voie médiane suivie au Tchad et l'ouverture opérée en Afrique australe — deux exceptions évidemment cruciales et décriées comme telles. A l'instar de l'Élysée, la rue Monsieur était convaincue de la priorité que devaient conserver les plus anciens partenaires de la France sur le continent. En refusant à Jean-Pierre Cot les moyens d'un redéploiement mondial de la coopération sur ses marges, à l'occasion du Conseil interministériel du 8 juin 1982, et plus encore en lui infligeant le camouflet de la tardive et semi-promulgation de la réforme de son ministère, le président de la République confortait singulièrement la main du « parti » qui n'avait (et n'aurait) de cesse de vilipender sa propre politique africaine (23). Le lâchage du ministre de la Coopération, tandis que son entourage était en butte à des attaques diffamatoires et anonymes complaisamment relayées, sinon produites, par certains des

---

(22) J.-M. Kalflèche, « Pourquoi la France est intervenue si tard », *Le Quotidien de Paris*, 16 août 1983 et « Comment Cheysson est devenu la "bête noire" des Africains », *ibid.*, 17 août 1983.

(23) Cf. par exemple J.-M. Kalflèche, « Coopération : Mitterrand met Jean-Pierre Cot au piquet », *Le Quotidien de Paris*, 7 juin 1982 et « Coopération : Mitterrand "enterre" le grand projet de Jean-Pierre Cot », *ibid.*, 10 juin 1982, ainsi que les questions, aisément identifiables, des « francophones » lors de la conférence de presse de M. Cot, le 2 septembre 1982 (Service Information et presse du ministère des Relations extérieures, Coopération et développement, multigr., pp. 12 et suiv.).

« francophones » (24), et la petite guerre que le 2 de la rue de l'Élysée semble avoir conduite à ses dépens, sous la pression de quelques capitales africaines, apparaissent, avec l'avantage que procure le recul, comme des fautes politiques qui ont divisé la gauche au profit de son opposition et qui ont inhibé ses chances de spécificité en Afrique. En même temps, l'Élysée a laissé s'installer l'illusion du monopole de la compétence que les « francophones » certifiaient posséder. « Critiquer la personnalisation des liens politiques entre la France et l'Afrique, c'est faire preuve d'une ignorance de la psychologie africaine. Cependant, il est nécessaire de ne jamais être prisonnier de ces liens », énonçait sentencieusement Pierre Messmer, non sans laisser entendre que M. Mitterrand, à l'instar de M. Giscard d'Estaing, en était, lui, captif (25). « Les relations entre la France et l'Afrique noire sont profondément familiales, donc extrêmement difficiles », martelait d'un article à l'autre Jean-Marc Kalflèche, n'hésitant pas à parler d'une « étrange histoire d'amour, incestueuse si l'on veut, entre la France et ce continent » (26). « Avec adresse et fermeté, M. Mitterrand s'est immédiatement employé à nouer des contacts personnels et directs avec l'ensemble

(24) Au printemps 1982, Paris fut inondé de fiches, manifestement conçues à partir de celles de la Sécurité militaire, qui diffamaient les différents membres du cabinet de Jean-Pierre Cot dans le style coutumier aux professionnels de la désinformation anticommuniste et qui étaient signées d'un très mystérieux « Conseil africain de défense anticommuniste ». Il faisait peu de doute que l'opération émanait des personnalités les plus équivoques du parti « francophone » et qu'elle avait obtenu l'approbation de certaines capitales africaines. Elle reçut naturellement quelque publicité de la part du *Quotidien de Paris*, malgré la bassesse ostensible qui l'entachait (Voir J.-M. Kalflèche, « "Taupes rouges" à la coopération ? », *Le Quotidien de Paris*, 16 juin 1982). Le gouvernement ne fit pas preuve d'un zèle excessif pour donner à cette affaire les suites qui s'imposaient — bien qu'elle fût rapidement débrouillée — et son manque de solidarité envers l'un de ses membres, déjà en situation politique difficile, frisa l'indécence.

(25) Entretien avec P. Messmer (sous le titre : « Le doute s'est installé entre l'Afrique et la France »), *Le Point*, 24 mai 1982.

(26) J.-M. Kalflèche, « Comment Cheysson est devenu la "bête noire" des Africains », *Le Quotidien de Paris*, 17 août 1983 et « Mitterrand l'Africain : le risque de l'incohérence », *ibid.*, 3 novembre 1981.

de ses homologues africains en évitant toute exclusive », entérinait Philippe Decraene (27). Et, peu après le 10 mai, Jean-Marc Kalflèche se rassurait pareillement : « (...) La politique africaine de la France socialiste s'est d'abord manifestée par de longs entretiens à l'Élysée avec des chefs d'État francophones qui sont très différents les uns des autres, humainement et idéologiquement, mais qui sont tous, quoi qu'en pensent ceux qui regardent par le gros bout de la lorgnette, francophiles parce que nationalistes, indignés de l'indifférence d'autres puissances de tutelle ou méfiants à l'égard de telle ou telle "superpuissance" » (28). *A contrario*, ces discours entendaient disqualifier, plus ou moins explicitement, l'approche autre que la rue Monsieur tentait, avec un bonheur inégal. L'image culturaliste et psychologisante des sociétés africaines à laquelle ils adhéraient est celle-là même que voulait transcender l'équipe de Jean-Pierre Cot et dont la cellule élyséenne a en définitive agréé l'inéluctabilité.

L'historien racontera un jour quels furent les rôles respectifs de personnalités comme Gaston Defferre, Georges Beauchamp, Charles Hernu, François de Grossouvre, Pierre Dabezies, Louis San Marco et son fils Philippe, Pierre Biarnès, Charles Verny — personnalités qui toutes avaient un accès plus ou moins direct au Président ou à Guy Penne — et aussi quelle fut la part de prédétermination dans ce renoncement lourd de conséquences. Peut-être la partie décisive se joua-t-elle à la dérobée, dans la discrétion d'amitiés anciennes et de fraternités maçonniques. Peut-être aussi se perdit-elle dès les premiers mois dans l'ombre des services secrets avec lesquels le nouveau pouvoir dut traiter,

---

(27) P. Decraene, « Le sommet franco-africain », *Le Monde,* 3 novembre 1981.
(28) J.-M. Kalflèche, « De la "stratégie" à la réalité », *Le Figaro,* 4 août 1981.

faute d'être parvenu à les contrôler (29). La trajectoire d'un Michel Lambinet est sur ce point assez intrigante. Lié à MM. Mobutu, Bongo, Dacko et Senghor, le propriétaire de la *Lettre d'Afrique* et — depuis 1980 — du *Mois en Afrique* allégua sa brouille avec Martin Kirsch, le conseiller de M. Giscard d'Estaing chargé des affaires africaines, pour protester de la pureté de ses sentiments socialistes. En juin 1981, il publia dans sa revue le document « Le Parti socialiste et l'Afrique sud-saharienne » et s'attacha la collaboration d'auteurs réputés socialistes, dont celle d'Yves Person. Fort de ces gages et peut-être de son appartenance à la franc-maçonnerie ou de son amitié avec Pierre Biarnès, il approcha l'Élysée, non sans succès, bien qu'aux yeux de la presse il fût « connu pour ses liens avec certaines tendances du SDECE, les plus pro-américaines et même liées à l'Afrique du Sud » (30). Parallèlement, il semble avoir déployé une grande activité aux côtés du « clan des Gabonais » pour contrer la politique africaine de la gauche et singulièrement celle de la rue Monsieur (31). Le maintien à Bangui du commandant Mansion comme chef de la garde présidentielle, avec des attributions élargies et pour le moins étranges dans un pays indépendant, donne également à réfléchir après les épisodes équivoques de la tentative de putsch de mars 1982 et de l'arrestation d'Abel Goumba en août de la même année.

C'est en définitive la gauche de la décolonisation

---

(29) P. Barrat, « Qui a tenté de saboter le plan français de règlement du conflit tchadien ? », *Nouvelles littéraires,* 15 novembre 1981 ; F. Soudan, « Les espions français en Afrique », *Jeune Afrique,* 28 avril 1982.

(30) P. Haski, « Le retour des conseillers militaires français au Tchad », *Libération,* 18 novembre 1981.

(31) F. Soudan, « Les espions français en Afrique, *Jeune Afrique,* 28 avril 1982 ; P. Barrat, « Qui a tenté de saboter le plan français de règlement du conflit tchadien ? », *Nouvelles littéraires,* 15 novembre 1981 ; P. Haski, « Le retour des conseillers militaires français au Tchad », *Libération,* 18 novembre 1981 ; P. Péan, *op. cit.,* chapitre X.

pacifique, celle des années cinquante ou soixante, qui s'est affirmée dans la conduite de la politique africaine depuis mai 1981. A bon droit, elle peut se targuer de son habileté passée, qui n'avait pas évité les erreurs mais qui ne s'était pas non plus défaite de tout courage ni de toute intelligence politiques. Elle savait que la construction gaullienne des relations franco-africaines reposait en partie sur ce qu'elle avait auparavant édifié et elle avait d'ailleurs souvent continué à y être associée, à des postes techniques qui ne manquaient pas d'être aussi politiques. Quelle que fût leur grandeur, ces états de service passés avaient aussi leur servitude. La paléogauche africaniste n'était pas forcément la mieux placée pour déchiffrer un continent qui a beaucoup changé, qui est désormais peuplé pour moitié de moins de vingt ans et que balayent des dynamiques sociales inédites. Son autorité explique une bonne part du cachet suranné dont nous disions qu'il marquait la politique africaine appliquée depuis trois ans. Ponctuellement, cette gauche est certainement intervenue d'une manière décisive dans le crédit personnel qu'ont obtenu certains chefs d'État. Plus profondément, la vision culturaliste de l'Afrique qu'elle véhicule n'est pas sans contreparties politiques, même s'il faut s'empresser d'ajouter qu'elle en corrige, par le biais des valeurs dont elle se réclame, beaucoup des effets par rapport aux excès les plus manifestes du noyau dur des « francophones ». Postuler une Afrique « authentique », a-temporelle et unanime dans son identité, sans voir qu'elle n'est rien d'autre que l'image que s'en font et en donnent une poignée de régimes établis, personnalisés et déjà anciens, dénie aux sociétés du continent la légitimité des clivages et des conflits, pourtant bien réels, qui les parcourent. A la lumière de cet axiome, toute contestation trahit une aliénation culturelle et une manipulation étrangère que le « parti francophone » dénonça hargneusement au détour du projet de Jean-Pierre Cot. Pour cette école de pensée, l'Afrique se trouve interdite de démocratie :

> « *Quoi qu'en pensent en effet les intellectuels français, l'Afrique n'est pas la France. Morcelée en ethnies que la colonisation a regroupées artificiellement au sein d'États fragiles, elle est travaillée par des forces politiques obscures que seul un pouvoir fort, pour ne pas dire autoritaire, peut contenir. La démocratie n'a pas et ne peut pas y avoir le même visage que dans les pays de tradition humaniste constituant la vieille Europe. Vouloir exporter vers des nations jeunes les principes qui nous gouvernent — équilibre des pouvoirs, indépendance de la justice, répartition équitable des richesses, respect strict des droits de l'homme — c'est donc courir le risque délibéré de se brouiller avec les responsables africains. Tout simplement parce que l'exercice quotidien du pouvoir s'accommode mal, dans ces contrées inhospitalières, où la civilisation n'a pas encore très profondément pénétré, de la moindre faiblesse. Incompatible avec le tribalisme qui continue de régner en maître sur la majeure partie du continent, l'idée même de l'alternance au pouvoir — donc de l'opposition — est synonyme de désordre politique ; elle débouche inévitablement sur l'anarchie et la dictature : on en a eu de multiples exemples au cours des trente dernières années* » (32).

Formulation extrême qu'un Jean-Marc Kalflèche présente avec plus de finesse et sans doute plus de considération pour des sociétés qu'il connaît bien. Il va sans dire que les responsables élyséens de la politique africaine, eux non plus, ne s'y associeraient certainement pas mot pour mot. Douter de leur sincérité à cet égard relèverait d'un mauvais procès. Mais on peut regretter que leur représentation de l'Afrique politique soit demeurée analogue : réduite à la philosophie de la

---

(32) Favilla, « Afrique », *Les Échos*, 21 janvier 1983, souligné par l'auteur.

prééminence présidentielle, l'arbre du chef persistant à cacher la forêt de la société. « Il faut tenir compte des réalités africaines », déclare M. Bongo (33) — et derrière lui les « francophones ». Soit. Et pourtant, de quelles « réalités africaines » qui ne soient l'objet d'une construction idéologique ? Dans cette optique, la bonne diplomatie subsaharienne est celle qui satisfait les partenaires censés incarner l'Afrique éternelle, sans beaucoup d'égards pour leur représentativité présente et pour l'incertitude possible de leur avenir, ni beaucoup de réflexion pour la conception d'une stratégie à plus long terme. Telles sont sans doute les origines intellectuelles de la prime qui a été accordée aux pouvoirs les plus patrimonialistes, de l'incompréhension relative dans laquelle ont été tenus les États mieux institutionnalisés, de la marginalisation qu'a subie le géant de l'Afrique occidentale, de la personnalisation ou de la régionalisation réductrices de crises avant tout politiques, de l'escamotage de la question démocratique.

Théologie de la dépendance et misère du tiers-mondisme

Cependant, la paléogauche africaniste n'a fait prévaloir aussi aisément ses vues que grâce aux faiblesses intrinsèques du projet avancé par d'autres courants de la majorité. Face au continent, l'extrême gauche s'est cantonnée dans un discours anti-impérialiste sclérosé et ne répond à aucun des problèmes du jour ; l'inanité de sa démarche est apparue au plus fort de la crise tcha-

---

(33) Entretien avec M. Bongo, *Magazine Hebdo*, 30 septembre 1983.

dienne, dans sa critique de l'opération Manta (34). Le Parti communiste, quant à lui, n'a pas de politique africaine autre qu'évanescente et stéréotypée. L'intervention de Jack Ralite en faveur d'un détenu camerounais, en 1982, fut interprétée à tort par plusieurs capitales comme annonçant l'irruption de cette formation sur la scène franco-africaine. Peine perdue. La deuxième grande composante de la gauche n'eut voix au chapitre ni dans les choix stratégiques de l'Élysée, ni dans l'exécution de cette politique, fût-ce dans les rapports avec des pays se réclamant du marxisme-léninisme comme l'Angola, le Mozambique, l'Éthiopie, le Congo-Brazzaville ou le Bénin. *A contrario,* sa condamnation du rétrécissement de la politique de l'Élysée au « pré carré » fut tardive et vaine (35).

La deuxième branche de l'alternative ne pouvait donc émaner que de la mouvance socialiste. Or, le jeu fut là aussi assez mal conduit. Les prémisses intellectuelles sur lesquelles reposaient les propositions africanistes du Parti socialiste et qui étaient, bon an mal an, sous-jacentes aux thèses de M. Cot étaient contestables. Certes, le programme de gouvernement du PS envisageait, dès 1972, quelques-unes des perspectives novatrices qu'il s'est efforcé depuis trois ans d'appliquer et qui sont aujourd'hui largement admises : l'augmentation et la « révision des modalités » de l'aide publique au développement, la « diversification de notre effort de coopération (...) en direction de l'Afrique anglophone, de l'Asie, de l'Amérique latine (...) ». Néanmoins, le Parti socialiste a été prisonnier, au cours des années soixante-dix, d'une schématisation dépendantiste du « Tiers monde » qui ne le prédisposait pas à affronter

---

(34) E. Dupin, « L'extrême gauche à l'heure de la "coloniale" », *Libération,* 30 août 1983.

(35) Cf. la critique du « pré carré néocolonial » par *Révolution,* 7 octobre 1983 (cité par *Le Monde,* 8 octobre 1983).

les réalités de la décennie suivante (36). Rédigé peu avant l'élection présidentielle de 1981, le document « Le Parti socialiste et l'Afrique sud-saharienne » attestait une indéniable maturation — la dimension géostratégique, les problèmes de recherche et leurs implications économiques étaient pris en considération — mais il ne se délivrait pas entièrement des apories tiers mondistes (37).

La première erreur du Parti socialiste consista à exagérer la nature exogène des États africains, conformément à la vulgate dépendantiste, et à laisser ainsi échapper l'irréductibilité de leur historicité politique :

« *Les principes d'existence et de fonctionnement de l'État y sont venus de l'extérieur et restent largement étrangers. Cela n'est pas dû seulement à ce que les gouvernants ont été personnellement formés, le plus souvent, à l'extérieur, mais véritablement aux principes d'organisation. Si bien que la "coopération" étrangère est souvent encore aujourd'hui non seulement et non principalement une nécessité technique et financière, mais une nécessité ontologique : par elle sont entretenus les modèles étrangers de pensée, de fonctionnement mais aussi de vie quotidienne, de consommation qui justifient et fondent les appareils d'État. Faiblement enracinées, fondées sur des modèles et des techniques qui ne sont ni économiquement ni socialement pertinents, les structures étatiques sont donc extrêmement vulnérables. Sans doute serait-il abusif de leur dénier systématiquement toute relation, au moins de compromis, avec les réalités nationales. Le capitalisme ivoirien ne se maintient pas seulement par l'effet d'une*

---

(36) Voir en particulier Parti socialiste, *Les socialistes et le Tiers monde. Éléments pour une politique socialiste de relations avec le Tiers monde*, Paris, Berger Levrault, 1977. Ce livre fut le point d'aboutissement d'un débat mené au sein de la Commission « Tiers monde » du Parti socialiste. Il fut rédigé par un « collectif » animé par Jacques Lhomet, alors membre suppléant de la commission nationale de contrôle du parti. Le bureau exécutif de celui-ci en a examiné le contenu et approuvé la diffusion.

(37) [Parti socialiste], *Le Parti socialiste et l'Afrique sud-saharienne*, s.l. [Paris], s.d. [1981], multigr.

relative réussite économique et d'appuis extérieurs : il trouve aussi quelque résonance dans des sociétés tradition- nelles marquées par l'ostentation ; à l'inverse, le socia- lisme tanzanien tire sa force de sociétés beaucoup plus marquées par des traditions égalitaires. Mais ce sont là des cas d'exceptionnelle stabilité en Afrique ; plus souvent l'inadéquation apparaît avec vigueur, et provoque divers types de réaction » (38).

Plus ou moins convaincus que les régimes « néo- coloniaux » étaient fantoches et ne subsistaient que grâce au soutien que leur apportait la France, les socia- listes se berçaient d'illusions et surestimaient les moyens que leur conférerait leur arrivée au pouvoir :

« (...) Les orientations affichées par les gouvernants (africains) combinent à d'incontestables choix personnels des variantes conjoncturelles qui tiennent aux pressions extérieures. A titre d'exemple, certaines orientations poli- tiques, qui ne sont pas les nôtres, dans les pays africains francophones, tiennent aux pressions économiques et poli- tiques exercées par l'actuel gouvernement français, et il n'en va pas autrement, sous d'autres influences, dans d'autres parties du continent. Notre coopération doit con- tribuer à desserrer ce type de contrainte, à élargir les marges de choix » (39).

Dans les faits, ce sont souvent les prétendues marionnettes qui tirent les fils (40). Une fois au pou- voir, les socialistes furent pris à contrepied par l'acti- visme diplomatique de régimes qu'ils présumaient ané- miques mais qui se sont avérés capables de mobiliser des ressources imposantes dans leur confrontation avec Paris. « Je suis tellement puissant en France. Je suis

---

(38) *Ibid.,* p. 4.
(39) *Ibid.,* ,p. 27.
(40) P. Péan *(op. cit.)* et J. Baulin (*La politique africaine d'Houphouët-Boigny,* Paris, Eurafor Press, 1980) en donnent de nombreux exemples factuels.

tellement connu en France qu'il ne se passe pas un jour où le nom de Bongo ne soit cité dans un journal. Tout ce qui va mal en France, c'est Bongo », peut blaguer le président de la République gabonaise (41). Ce fut l'un des points forts de l'argumentation d'un Jean-Marc Kalflèche que de mettre en exergue cette autonomie stratégique des responsables africains — notamment à propos du « phénomène Hissène Habré » — et de moquer la candeur des socialistes (42).

L'économicisme de ceux-ci explique aussi qu'ils n'aient pas assez prêté attention à la contradiction qui allait miner toute leur politique africaine. S'adressant aux « damnés de la terre », ils auraient pour partenaires les États ou les classes dominantes qui les assujettissent. Il ne pouvait suffire de prôner « le dialogue », ni de reconnaître en bas de page :

> « *Bien que notre politique de coopération ait à se développer dans le cadre de relations interétatiques, il existe dans les pays sous-développés comme dans les pays développés des classes dirigeantes dont les intérêts ne se confondent pas nécessairement avec ceux des masses. Il conviendra de ne pas le perdre de vue lors de nos négociations. Il serait bien naïf en effet de croire qu'un gouvernement dont l'assise n'est pas populaire utilisera une aide accordée sans conditions à des opérations de développement favorables aux couches les plus démunies de sa population* » (43).

Tout en récusant les dangers d'un éventuel « interventionnisme de gauche », le document de 1981

---

(41) Entretien avec M. Bongo, *Magazine Hebdo,* 30 septembre 1983.

(42) Voir, par exemple, J.-M. Kalflèche, « Les socialistes avaient joué Goukouni, le perdant », *Le Quotidien de Paris,* 8 juin 1982, et la plupart de ses articles, déjà cités, de l'été 1983.

(43) Parti socialiste, *Les socialistes et le Tiers monde, op. cit.,* p. 204, note 1. Sauf erreur de notre part, le seul passage du livre consacré à la structure politique des États du Tiers monde est cette note en bas de page.

ne résolvait pas mieux cette antinomie sur laquelle achoppe maintenant la nouvelle coopération, spécialement aux plans de la « recherche-développement » et des « stratégies alimentaires ». Le mémorandum français au Comité d'aide au développement de l'OCDE pour l'exercice 1983-1984 affirme par exemple que « la clé de l'autonomie dans ce domaine (alimentaire) est la constitution d'une paysannerie qui soit assurée elle-même de sa propre sécurité alimentaire, qui s'organise selon ses propres conceptions, qui maîtrise des techniques de production bien adaptées au milieu local, et qui soit en mesure enfin de vendre ses excédents aux populations urbaines au moyen d'un système de commercialisation souple et efficace procurant des termes de l'échange suffisamment incitatifs » (44). Mais qui ne voit que le problème est avant tout politique et implique les fondements sociaux de l'État postcolonial ? Au contraire de la Révolution française, et dans une moindre mesure que la Révolution soviétique, la révolution politique de l'indépendance s'est réalisée contre la paysannerie ; les régimes qui sont issus de luttes armées de libération nationale ne diffèrent pas de ce modèle de formation d'une classe dominante bureaucratique, vivant de la surexploitation des agriculteurs et de l'insertion dans l'économie mondiale.

La seconde erreur du Parti socialiste fut de tenir pour quantité négligeable les entreprises quoiqu'elles détinssent dans une large mesure la clef des relations franco-africaines. Outre les inconvénients que lui causa sur le terrain l'hostilité du secteur privé, il se ferma ainsi les champs où se livrerait le moment venu la vraie bataille. La philosophie de la coopération contractuelle et planifiée de M. Cot prolongeait la théologie de

---

(44) *Mémorandum de la France au Comité d'aide au développement de l'OCDE*, s.l. [Paris], s.d. [1984], multigr., p. 23.

la rupture avec le capitalisme qui avait occupé le parti pendant la décennie de l'Union de la gauche. Le comble de l'irréalisme avait été atteint dans le texte de 1977. Celui-ci dissertait gravement sur la nouvelle division internationale du travail « au terme d'un mouvement concerté et planifié à long terme avec le Tiers monde », par le biais de « l'instauration de mécanismes internationaux interventionnistes tels que la constitution de stocks régulateurs, la souscription d'engagements d'achat et de vente à long terme, etc. » Il ne doutait pas que la France serait en mesure d'offrir « au Tiers monde une alternative dans le choix de ses relations », de conjuguer la multilatéralisation de l'aide et sa planification concertée. Enfin, il prévoyait d'« amener le secteur privé à jouer le jeu d'une coopération équilibrée » grâce à l'intervention du crédit et à l'application d'un « code de conduite » des intérêts privés, négocié « avec nos partenaires ou qui aura été élaboré sur le plan international » :

> « Toutes ces mesures contribueront à tracer pour les firmes privées le cadre bien délimité à l'intérieur duquel elles auront la possibilité d'agir. Nous n'entendons pas instaurer de monopole public dans nos relations avec le Tiers monde mais nous voulons ériger des règles suffisamment précises pour que ne puisse apparaître de contradiction entre notre politique de coopération et les autres aspects de nos relations avec le Tiers monde. Cela étant, les entreprises françaises auront de nouvelles occasions de valoriser leur savoir-faire dans des opérations dont il sera assuré qu'elles seront aussi profitables au pays d'accueil qu'à elles-mêmes. En matière de transferts de technologie, par exemple, l'agence de coopération les utilisera comme "opérateurs industriels", ce qui ouvrira de nouveaux débouchés à leur activité dans le Tiers monde » (45).

_____

(45) Parti socialiste, *Les socialistes et le Tiers monde, op. cit.*, pp. 175-176 et pp. 207-209.

Ce baragouin trahissait une méconnaissance étonnante du monde de l'économie (46). Le Parti socialiste dut vite en rabattre. Le document de 1981 se montrait déjà plus ambigu, condamnant l'interdépendance des intérêts privés et de la stratégie africaine de M. Giscard d'Estaing mais se disant sensible à la dégradation sur le long terme des positions économiques françaises, en particulier dans le domaine de la recherche ; un tantinet méfiant à l'encontre des « grandes firmes aujourd'hui prédominantes », il accordait « la priorité (...) à la PME en raison de ses effets multiplicateurs et formateurs au plan humain comme au plan économique » et annonçait le discours de Jean-Pierre Cot sur la coopération industrielle (47). Le rapport de Bandt-Berthelot entendait encore user des instruments de la politique économique extérieure dont dispose le gouvernement pour soumettre les opérateurs privés aux objectifs du co-développement. Cependant, la gauche a entre temps parcouru son chemin de Damas et redécouvert l'économie de marché, par « rigueur » interposée. Si l'on s'en tient aux déclarations que M. Nucci destine aux représentants du secteur privé, elle ne paraît plus caresser d'autre approche que celle de se mettre assez platement au service des entreprises désireuses d'investir en Afrique :

> « La coopération doit avoir un cadre ; elle a un cadre politique, elle a un cadre diplomatique, elle a un cadre administratif mais rien ne saurait rejeter l'initiative privée qui est fondamentale, qui est indispensable. Les outils de l'administration sont à votre disposition. Ne les ignorez pas, et je dis très clairement (...) Je m'excuse de

---

(46) Sur la capacité d'adaptation des entreprises face aux prétentions de l'État, voir D. Camus, *Les finances des multinationales en Afrique*, Paris, L'Harmattan, 1983.

(47) *Le Parti socialiste et l'Afrique sud-saharienne*, op. cit., pp. 16 et suiv., pp. 28 et 33.

personnaliser le problème. Cela dit, nous-mêmes serions à même de vous servir d'intermédiaire de façon à actionner les choses, d'autant que dans ce cas vous étiez servi par la visite que le président de la République vient d'effectuer et qui d'ailleurs a été, je tiens à le souligner, l'occasion de débloquer un certain nombre de dossiers qui vont nous permettre de partir du bon pied (...) si vous avez des difficultés, vous écrivez au ministre de la Coopération car je puis vous assurer que je trouve inadmissible que l'on fasse jouer des règles strictes sur l'importance de telle ou telle société » (48).

Ainsi, en six ans, le retournement idéologique du Parti socialiste a été complet eu égard au « cadre bien délimité » à l'intérieur duquel les entreprises auraient gardé « la possibilité d'agir ». Mais dans cet intervalle, la paléogauche économique, dirigiste et dépendantiste, a abandonné à la paléogauche politique le monopole du réalisme. On sait, en 1984, que l'évolution générale du septennat de M. Mitterrand s'effectue au détriment de la doctrine marxisante qui avait été allouée à la stratégie d'Union de la gauche. Cette mue, volontiers rattachée à la notion de « modernité » par certains commentateurs, s'est aussitôt soldée par un archaïsme politique pour ce qui a trait aux dossiers africains. Il n'est pas indubitable, sur ce point précis, que le président de la République « restera comme l'homme d'une formidable mutation », qu'il « aura guéri la gauche de son refus du réel » (49).

Mais pourquoi rejeter sur une seule tendance de l'échiquier politique l'entière responsabilité d'une continuité idéologique de la société française dans son rap-

---

(48) Intervention de M. Nucci dans la discussion générale in CEPIA, *L'industrie française a-t-elle un avenir en Afrique ?*, Paris, Journée d'étude du 10 novembre 1983, pp. 26 et 28. Voir aussi l'allocution du ministre, pp. 30-33.

(49) J.-M. Colombani, « La reconquête », *Le Monde*, 18 novembre 1983.

port à l'Afrique subsaharienne ? Le Parti socialiste, disait-on du temps de sa croissance, est un parti attrape-tout. Il n'a pu, dans cette hypothèse, attraper que ce qui existait — encore qu'il ne soit pas certain qu'il ait assumé au mieux cette tâche. Les carences de ses thèses « africanistes » reflètent peu ou prou celles des milieux intellectuels chargés, en France, de penser ou de dire l'Afrique. Ceux-ci se sont longtemps départagés entre la double hégémonie des « francophones » et des « tiers-mondistes ». Chacun de ces courants dispose de ses auteurs, de ses chapelles, de ses réseaux de communication, de ses ressources organisationnelles et financières. Sans dresser la carte complète de ces mouvances, l'on devine le rôle qu'ont tenu, dans la perpétuation d'une certaine idée de l'Afrique, la dominance dans les universités d'un marxisme plutôt primaire, l'insertion dans l'administration et les affaires des anciens de l'École nationale de la France d'outre-mer, le militantisme des chrétiens de gauche, la pastorale des missionnaires, la ténacité des organisations caritatives internationales. Quelques structures mériteraient des études spécifiques tant elles ont marqué le paysage des années soixante-dix : les Éditions François Maspero et L'Harmattan, *Afrique-Asie, Libération Afrique, Peuples noirs, peuples africains,* le CEDETIM du côté « progressiste » ; le Comité catholique contre la faim et pour le développement (CCFD), *Croissance des jeunes nations* dans l'orbite chrétienne ; le *Mois en Afrique, Europe France outremer* et les différentes structures culturelles dirigées par Robert Cornevin pour ce qui est de la sensibilité « francophone ». Encore conviendrait-il d'identifier sous ces structures les noms — guère plus d'une centaine ? — qui les animent et les articulent. Le milieu franco-africain est un Landerneau où retentissent le bruit et la fureur, où chacun se connaît, se soutient, se hait et se réconcilie, où se négocient des intérêts colossaux ou étriqués. Dans ce théâtre d'ombres, les « francophones » semblent s'être assuré l'avantage d'une façon durable, probablement parce qu'ils sont en prise directe sur les flux financiers et économiques. Leur victoire politique après 1981 réfléchit en partie cet atout. Mais, par ailleurs, les différents courants de pensée sous-jacents au militantisme de gauche n'ont pas su se rénover — ce qui, soit dit en passant, rendait assez chimérique le renouvellement par eux-mêmes des relations franco-africaines. L'anthropologie marxiste, qui avait réalisé une remarquable avancée dans la compréhension des sociétés africaines dans la première moitié des années soixante-dix, s'est ensuite essoufflée et a eu tendance à se blottir dans un messianisme anticapitaliste passablement idéel ; de plus, elle a contourné la question de l'État contemporain. Il en a été de même des économistes, plus attentifs aux dynamiques internationales qu'aux stratégies des acteurs africains. D'une façon générale, les intellectuels français concernés par ces questions ne se sont guère ouverts aux recherches poursuivies à l'étranger. Le poids de la tradition marxiste et celui, antagonique, des chantres de la « société primitive » ont, par exemple, empêché que ne soient connus les travaux en langue anglaise qui repoussaient l'idée d'une « économie morale » et se penchaient sur la notion d'économie paysanne de marché (50) ; ceux-ci auraient pourtant aidé à affiner une problématique moins séraphique de la coopération.

Dans ce contexte, la critique, tardive, du tiers-mondisme a tenu lieu de révolution intellectuelle, tout en

---

(50) Voir J. Scott, *The moral economy of the peasant : rebellion and subsistance in Southeast Asia*, New Haven, Yale Univ. Press, 1976, pour les principales thèses de « l'économie morale » et, pour leur critique, R.-H. Bates, *Markets and states in tropical Africa*, Berkeley, Univ. of California Press, 1981, ou S.-L. Popkin, *The rational peasant*, Berkeley, Univ. of California Press, 1979. Le débat est partiellement restitué in « Les paysans et le pouvoir en Afrique noire », *Politique africaine*, 14, juin 1984.

brillant par sa superficialité. Tantôt elle a privilégié les lignes de la confrontation entre l'Est et l'Ouest, qui débordait désormais sur le continent africain, et elle a persisté à refuser à celui-ci son historicité. « A son tour, l'Afrique est entrée dans la zone des tempêtes, ce qui signifie que les luttes politiques et sociales internes y sont entièrement surdéterminées par la politique des grandes puissances. Les quelques années de relative autonomie nationale qui ont suivi la décolonisation ne sont déjà plus, pour les plus faibles et les plus artificiels de ces nouveaux États, qu'un souvenir (...). Il n'y aura de socialisme africain que totalitaire », lançait en 1978 Jacques Julliard dans les colonnes du *Nouvel Observateur* (51). La discussion qui s'en suivit fut des plus oiseuses faute de s'appuyer sur une connaissance empirique minimale des sociétés du « Tiers monde » (52). Dans le débat politique immédiat, l'apport de la gauche antitotalitaire au dossier des relations franco-africaines revint finalement à faire chorus avec les « francophones » pour réclamer un engagement sans nuances aux côtés de M. Habré en 1983 : « Au Tchad aujourd'hui, on n'en est plus à choisir l'Afrique de Foccart contre celle rêvée par J.-P. Cot : les blindés soviétiques de Kadhafi ont simplifié les enjeux (...). Ne pas contrer Kadhafi aujourd'hui, c'est répéter en Afrique les accords de Munich qui précédèrent la guerre (...). Derrière l'invasion libyenne, la présence soviétique se manifeste. Comme chacun le sait, elle s'est déjà affirmée en Angola, au Mozambique, en Éthiopie, etc. Ces guerres locales dépassent rapidement leurs dimensions géographiques : elles deviennent un

---

(51) J. Julliard, « Le Tiers monde et la gauche », *Le Nouvel Observateur,* 5 juin 1978.

(52) Nouvel Observateur, *Le Tiers monde et la gauche.* Préface de J. Daniel, présentation d'A. Burguiere, Paris, Seuil, 1979.

enjeu entre l'Est et l'Ouest » (53). Tantôt la critique du tiers-mondisme par la gauche s'est bornée à ridiculiser « le sanglot de l'homme blanc » en tant que « conscience boursouflée » (54). Elle ne s'est guère démarquée, alors, des thèmes que développent depuis plusieurs années les ultra-libéraux avec tout ce qu'ils comportent de connotations inquiétantes (55). La transcendance des idéologies du Tiers monde par un écrivain issu de celui-ci, comme V.-S. Naipaul, n'équivaut pas à l'autocomplaisance repue de commentateurs occidentaux et ceux-ci paraissent à présent se tranquilliser à bon compte.

En soi, le tiers-mondisme aura nourri l'un de ces faux débats dont raffole la vie intellectuelle française. L'on pourrait en rire s'il n'avait étouffé d'autres réflexions (56). Une éditorialiste célèbre écrivait un jour que l'on ne tire pas sur une ambulance. Évoquant des raisons commerciales d'autant plus déterminantes qu'elle a maintenu l'ignorance de ses lecteurs, l'édition française, prodigieusement arriérée par rapport à son homologue britannique, n'en finit pas de tirer sur un corbillard. Chose curieuse dans un pays qui s'enorgueillit à juste titre de la vitalité de son école historiographique, l'idée qu'il faille étudier les sociétés du Sud au prix d'un véritable effort intellectuel pour les saisir dans leur consistance historique n'est pas encore com-

---

(53) Y. Montand, A. Glucksmann, B. Kouchner, J. Lebas, J.-P. Escande, « Tchad : l'engagement à reculons », *Libération*, 12 août 1983.

(54) Voir P. Bruckner, *Le sanglot de l'homme blanc. Tiers monde, culpabilité, haine de soi*, Paris, Seuil, 1983.

(55) C. Rangel, *L'Occident et le Tiers monde. De la fausse culpabilité aux vraies responsabilités*, préface de J.-F. Revel, Paris, Robert Laffont, 1982.

(56) Il est assez éloquent à cet égard que l'un des auteurs dont on aurait pu croire qu'il était bien placé pour explorer des voies neuves — homme de terrain et volontiers iconoclaste —, en soit à rééditer, sous un titre emprunté à Octavio Paz, des textes de conjoncture publiés sur vingt ans et se taise sur les recherches qui ont distancé la problématique tiers mondiste. Cf. G. Chaliand, *Les faubourgs de l'histoire. Tiers-mondismes et Tiers mondes*, Paris, Calmann-Lévy, 1984.

munément acceptée. Voilà un sujet où n'importe qui s'estime en droit de dire n'importe quoi, où les airs entendus servent de garanties de sérieux, où la virtuosité de la plume et les bons sentiments pallient la misère de l'analyse. L'essai d'intelligence de situations politiques autres passe pour une gentille manie qui s'accomplit aux frais du contribuable. Ce poujadisme intellectuel fut flatté par bon nombre de « francophones » — à quoi bon étudier l'Afrique puisqu'ils la « connaissaient » déjà ? — et attisé par les gouvernements des années soixante-dix. On était à cette époque peu soucieux, les dirigeants africains moins que les autres, de voir éclore des recherches empiriques sur les rouages des sociétés subsahariennes. Diverses dispositions y mirent bon ordre, de l'obligation du permis de recherche octroyé par les administrations nationales et exigé par les instances scientifiques françaises au nom d'une conception étatique de la coopération, à l'expulsion ou au rappel des enquêteurs trop curieux, en passant par le tarissement des crédits de mission et des canaux de recrutement. A l'inverse d'autres « francophones », Jean-Marc Kalflèche a fort bien compris les effets pervers de cette rétention scientifique, non sans pointer le bout de son oreille latino-américanophobe : « Qu'on consulte les fichiers de nos bibliothèques universitaires. Que de thèses sur la Bolivie et si peu sur la Haute-Volta, sur le Tchad, sur le Niger, sur la Côte-d'Ivoire elle-même ! Peut-être parce qu'il est plus facile d'écrire sur des mondes totalement exotiques alors que des dizaines de milliers de Français ont une assez bonne connaissance de l'Afrique francophone. Sûrement parce que le système Foccart et l'idée du "domaine réservé" ont détourné quantité de jeunes chercheurs — ce fut le grand péché — de pays qui leur étaient naturellement proches et vis-à-vis desquels notre responsabilité était infiniment plus engagée » (57). Si l'on s'en tient à cet aspect des choses, la compréhension politique des sociétés africaines a été freinée par plusieurs facteurs : le caractère policier de celles-ci, bien sûr, mais aussi l'interdiction faite aux chercheurs de l'ORSTOM de froisser la sensibilité des autorités du crû, l'asthénie de la science politique dans les universités subsahariennes francophones, la tutelle institutionnelle des juristes sur la poignée de politistes français spécialistes du continent (58). Tant et si bien que le *Mois en Afrique,* dirigé par Pierre Biarnès et Philippe Decraene, puis racheté par Michel Lambinet, fut jusqu'en 1981 la seule revue française consacrée aux questions politiques africaines (59). Les politistes français n'ont pas eux-mêmes senti combien leurs travaux concouraient, ne fût-ce que par défaut, à isoler une « problématique légitime » de l'État postcolonial et des rapports qui le soudent à son ancienne métropole. Or, nous l'avons vu, ce discours autorisé n'est pas neutre, ni complètement indépendant des batailles politiques du moment. Il revêt la cohérence minimale d'un paradigme idéologique qui structure l'espace des possibles politiques. Sans doute serait-il simpliste de le camper en quelques traits vengeurs. Mais on en pressentira la vigueur aussi longtemps qu'un quotidien titrera sans rire à propos du général d'une quelconque « opération Manta » : « Jean Poli, amoureux de l'Afrique » (60) ! Aussi longtemps que le journal municipal d'une grande ville universitaire acco-

---

(57) J.-M. Kalflèche, « Mitterrand l'Africain : le risque de l'incohérence », *Le Quotidien de Paris,* 3 novembre 1981.

(58) Y.-A. Fauré a montré comment les juristes étaient peu enclins à critiquer des États qu'ils avaient portés sur les fonds baptismaux (« Les Constitutions et l'exercice du pouvoir en Afrique noire », *Politique africaine,* 1, janvier 1981, pp. 34-52). Depuis 1982, réformes structurelles et mesures individuelles ont notablement allégé cette tutelle des juristes sur les politistes « africanistes ».

(59) En 1981, une association de chercheurs a lancé une nouvelle revue, trimestrielle : *Politique africaine.*

(60) « Jean Poli, amoureux de l'Afrique », *La Croix,* 24 août 1983.

lera comme légende à une photographie du rallye Paris-Dakar : « Indigènes surprises par la vitesse » (61) ! Aussi longtemps que l'on parlera au sujet de l'Afrique de « *contrées inhospitalières* » (62) ! Les confins de la politique africaine de la gauche sont aussi ceux de ce sens commun dans lequel exultent tous les Dupont-la-joie.

La gauche dans le « bloc historique » postcolonial

« L'intime relation franco-africaine » chère à Jean-Marc Kalflèche et dont le « clan des Gabonais » est le parangon, ce « réseau de relations et d'amitiés qui font qu'Ivoiriens et Français ne sont plus tout à fait, les uns pour les autres, des étrangers et se sentent, s'éprouvent comme des frères », cet « air de famille dont nous ne nous sommes jamais éloignés » et que vantait François Mitterrand en Abidjan — tout cela indique qu'il n'y a pas d'un côté les sociétés africaines et de l'autre la société française, unies les unes à l'autre par une structure d'inégalité et de dépendance, comme l'a laissé accroire la conceptualisation en termes de « centre » et de « périphérie » (63). Il y a un champ hégémonique franco-africain ou, plus exactement, occidentalo-africain que cimente un « bloc historique » au sens où l'aurait entendu Gramsci. Pour peu que l'on reste fidèle à l'œuvre du théoricien italien, cette formulation ne devrait pas occulter les conflits d'intérêts et de valeurs entre les acteurs de ces différentes formations sociales. L'État postcolonial et le bloc de pouvoir qui le domine

---

(61) J. Ilous, « La fièvre du Paris-Dakar », *Grenoble-mensuel,* 4, janvier 1984, p. 27.
(62) Favilla, « Afrique », *Les Échos,* 21 janvier 1983, souligné par l'auteur.
(63) S. Amin, *L'accumulation à l'échelle mondiale,* Paris, Anthropos, 1971.

sont « autonomes » — une notion sur laquelle il faudrait naturellement beaucoup gloser (64). Le concept de « bloc historique » ne devrait pas non plus conduire à postuler l'unicité politique ou culturelle de sociétés fondamentalement multidimensionnelles. Mais, en désignant l'essence conflictuelle et inachevée de ce champ hégémonique occidentalo-africain, il permet de mieux comprendre que les contradictions de celui-ci ne se déclinent pas vraiment sur un mode d'extériorité et d'univocité. En sont autant de signes la participation des capitales africaines à la vie politique française par l'intermédiaire des circuits d'information et du financement des campagnes électorales, la sécrétion de tissus économiques, financiers ou militaires franco-africains, le poids disproportionné de la société française au sud du Sahara dans les domaines économique et culturel, la présence croissante des Africains en France par le biais de l'émigration, de la musique, de la cuisine. Comme l'a bien vu V.-Y. Mudimbe, pour s'en défendre, la dépendance des sociétés africaines est d'ordre épistémique : « Pour l'Afrique, échapper réellement à l'Occident suppose d'apprécier exactement ce qu'il en coûte de se détacher de lui ; cela suppose de savoir jusqu'où l'Occident, insidieusement peut-être, s'est approché de nous ; cela suppose de savoir, dans ce qui nous permet de penser contre l'Occident, ce qui est encore occidental ; et de mesurer en quoi notre recours contre lui est encore peut-être une ruse qu'il nous oppose et au terme de laquelle il nous attend, immobile et ailleurs » (65). Encore faut-il percevoir que cette

---

(64) Cf. par exemple J.-F. Bayart, *L'État au Cameroun,* Paris, Presses de la Fondation nationale des sciences politiques, 1979 ; N. Swainson, *The development of corporate capitalism in Kenya, 1918-1977,* Londres, Heinemann, 1980 ; Y.-A. Fauré, J.-F. Médard, dir., *État et bourgeoisie en Côte-d'Ivoire,* Paris, Karthala, 1982 et le débat autour de ce livre in *Politique africaine,* 9, mars 1983, pp. 118-143.

(65) V.-Y. Mudimbe, *L'odeur du père. Essai sur les limites de la science et de la vie en Afrique noire,* Paris, Présence africaine, 1982, pp. 12-13.

dominance de l'Occident, vécue comme une aliénation, est simultanément l'objet d'une réappropriation et s'institue en processus métis d'invention de la modernité. En ce sens, l'idéologie eurafricaine — celle des « francophones » — a tiré sa force de ce qu'elle disait, mieux que d'autres, cette réalité.

Les analystes anglo-saxons s'étonnent que la gauche assume l'héritage. Aurait-elle pu se dérober ? Ou encore, convient-il qu'elle ait un projet africain ? La question est gratuite. La quasi-totalité des États concernés en sont demandeurs, et point seulement les pays francophones : à la grande surprise de leur interlocuteur, les dirigeants nigérians ne cachèrent pas à M. Cot, en 1981, combien ils souhaitaient le maintien de troupes françaises au sud du Sahara, et les attentes d'un pays comme le Mozambique sont immenses, jusqu'à être déraisonnables (66). Les oppositions aux régimes établis, quant à elles, veulent moins un désengagement français du continent que la suspension de l'aide politique, voire policière, consentie aux autorités qu'elles combattent. C'est aussi comme sanctuaire de la contestation que la France, ni plus ni moins qu'hier, pèse sur la configuration politique des pays africains. Les pouvoirs établis s'en indignent, mais ce n'est que l'inévitable revers de leur propre conception de leurs relations avec la France. En fait, la dépendance est à double sens, fût-ce à titre d'inégalité. Il ne suffit pas de dire que les acteurs politiques africains sont dotés d'une autonomie relative par rapport à la France ; souvent, ils la contraignent. Un document du MORENA le rappelait à l'ambassadeur de France à Libreville, pour emporter sa conviction : « (...) Nous demandons à la France de nous aider dans la recherche d'une solution efficace. Nous avons besoin de changer des

---

(66) Sources : entretiens.

hommes afin de changer de régime. C'est pour cela que nous venons auprès de vous, Monsieur l'Ambassadeur, chercher ces solutions de redressement de la situation catastrophique dans laquelle Bongo et son équipe ont plongé le Gabon. Vous ne pouvez pas vous en désintéresser ou garder les bras croisés devant le désastre car vous, la France, comme nous, le Gabon, avons des intérêts réels et importants dans ce pays. Ensemble, nous devons et pourrons trouver des solutions et nous sommes heureux de pouvoir en proposer une » (67). L'histoire est vieille comme celle de l'impérialisme. Elle déroute néanmoins la gauche qui, revenue aux affaires, eut à se réconcilier avec les exigences de « l'intérêt national », quitte à s'en faire une idée « déterritorialisée » propice au redéploiement de la République (68).

On voit mal que la gauche puisse se soustraire à l'Afrique dans la mesure où celle-ci figure au cœur du champ historique français. Se dérober reviendrait à continuer de laisser à son opposition un monopole idéologique qu'elle n'est pas loin de détenir depuis de longues années. Tout indique que la perspective eurafricaine a encore de beaux jours devant elle. Subsiste donc le chemin étroit de son infléchissement. La tâche n'est pas si aisée ni dérisoire qu'elle doive éveiller la condescendance, et ce combat, s'il n'est pas gagné par les uns, le sera par d'autres. Non que la politique africaine d'une éventuelle majorité de droite, de retour en 1986 ou en 1988, trancherait radicalement avec celle que la gauche entreprend. Des hommes comme MM. Giscard d'Estaing, Barre, Chirac, auraient certainement l'intelligence de ne pas annuler les acquis de leur prédécesseur, quitte à prendre quelque distance par rapport à certains pays jugés d'un rouge malséant,

---

(67) Mouvement de redressement national, *Gabon : livre blanc — 1981*, s.l., s.d., multigr., p. 29.
(68) R. Debray, *La puissance et les rêves*, Paris, Gallimard, 1984.

143

à montrer une bienveillance mesurée à l'égard de la République sud-africaine et à camper plus fermement sur le « pré carré » (69). Mais, en profondeur, la conversion de la droite au « rien à l'État » et à l'ultra-libéralisme se répercute dans sa vision des relations franco-africaines. Se reposant sur les travaux d'économistes comme J.-K. Galbraith et P.-T. Bauer, les déformant souvent, confisquant à son profit la critique de « l'économie morale », les nouveaux doctrinaires de la droite entament un hymne assez irréaliste à la gloire d'un capitalisme indiscriminé, nient le fait de la dépendance et décryptent les alignements politiques du Sud à la seule lumière de l'affrontement entre l'Est et l'Ouest (70). A terme, ils compromettent le principe même de l'aide publique au développement, font le lit des ambitions de la Banque mondiale, discréditent la maturation d'un système international moins déséquilibré entre le Nord et le Sud, abolissent l'irréductibilité des diplomaties africaines par rapport aux enjeux soviéto-américains. Le rapport Berg et les philippiques de l'administration Reagan transportent ces idéologues. Or, rien ne prouve que les maux du continent céderaient à de telles thérapeutiques. Et l'on peut même se demander si des ombres suspectes ne se profilent pas derrière le « nouveau tiers-mondisme » d'un mouvement comme le GRECE, dont la stratégie avouée est d'intention hégémonique (71).

---

(69) Voir l'entretien avec M. Giscard d'Estaing (sous le titre : « Aider l'Afrique oui, mais pas à fonds perdus »), *Figaro-Magazine,* 20 avril 1984 ; J.-M. Kalflèche, « Monory relance le dialogue Nord-Sud », *Le Quotidien de Paris,* 12 mars 1984 ; A. Passeron, « Au nom de la Realpolitik, M. Chirac ne comprend pas "l'ostracisme" de la France envers l'Afrique du Sud », *Le Monde,* 7 juin 1984 ; J. Chirac, « La vocation africaine de la France », *Le Monde,* 7 novembre 1981.

(70) Y. Montenay et Club de l'horloge, *Le socialisme contre le Tiers monde,* Paris, Albin Michel, 1983. Voir aussi J.-K. Galbraith, *Théorie de la pauvreté de masse,* Paris, Gallimard, 1980 et P.-T. Bauer, *Mirage égalitaire et Tiers monde,* Paris, PUF, 1984.

(71) R. Solé, « Le "tiers-mondisme" de la nouvelle droite », *Le Monde,* 17 avril 1984.

Au regard de ces thèses, la spécificité de la gauche — même « moderniste » — existe. Pour sévère qu'ait été notre inventaire, le bilan de son action depuis trois ans n'est pas négligeable. Tout d'abord, le cataclysme annoncé avec une régularité de métronome par l'opposition n'a pas eu lieu. Ensuite la gauche n'a pas intégralement capitulé devant le « noyau dur » francophone, bien que ce dernier l'ait largement piégée. En contrant la pression américaine sur l'OUA, en suivant un cours médian au Tchad, en affirmant une diplomatie active en Afrique australe, dans l'océan Indien, auprès du Congo et du Bénin, la France a conforté ses positions sur le continent, a rétabli son crédit auprès de pays qu'excédaient les ambiguïtés du précédent gouvernement et a rogné l'influence soviétique. Il est simplement dommage qu'aient été négligés des partenaires importants, tels le Nigeria, le Kenya, la Tanzanie, le Cameroun, le Ghana. Enfin, les valeurs dont se réclame la gauche sont partiellement passées dans les faits. Les pratiques déstabilisatrices les plus choquantes ont été abandonnées, l'aide publique au développement a été augmentée, l'esprit de la coopération s'est transformé — et sur tous ces points, quels que soient les faux-pas ou les insuffisances que nous avons mentionnés, un seuil semble avoir été franchi dont il sera difficile de ne pas tenir compte dans l'avenir. Pourtant, la gauche ne réussira à consolider ces acquis, à aller de l'avant et à résister à l'offensive idéologique de son opposition que si elle pense les sociétés africaines en tant que sociétés historiques et politiques à part entière. C'est au prix de ce détour intellectuel qu'elle élaborera une politique adaptée aux contraintes de la décennie à venir, respectueuse des valeurs qu'elle entend incarner et satisfaisante pour ses partenaires. Le précédent des années écoulées suggère que cette nouvelle bataille d'idées n'est pas gagnée par avance.

Sélection bibliographique

BACH (Daniel), « La politique française en Afrique après le 10 mai 1981 », *L'Année africaine 1981*, Paris, Pedone, 1983, pp. 236-253.

— « La France en Afrique subsaharienne : contraintes historiques et nouveaux espaces économiques », *Colloque sur la politique extérieure de Valéry Giscard d'Estaing*, Paris, Association française de science politique et Fondation nationale des sciences politiques, 26-27 mai 1983, multigr. (à paraître aux Presses de la Fondation nationale des sciences politiques).

CADENAT (Patrick), *La France et le Tiers monde. Vingt ans de coopération bilatérale*, Paris, Documentation française, 1983 (Notes et études documentaires).

COMMISSARIAT GÉNÉRAL DU PLAN, *L'impasse Nord-Sud : quelles issues ?* Paris, La Documentation française, 1984.

COT (Jean-Pierre), *A l'épreuve du pouvoir. Le tiers-mondisme pour quoi faire ?* Paris, Seuil, 1984.

« La France en Afrique », *Politique africaine*, 5, février 1982, pp. 3-110.

GAUTRON (Jean-Claude), « La force de maintien de la paix au Tchad : éloge ou requiem », *L'Année africaine 1981*, Paris, Pedone, 1983, pp. 167-189.

147

GOLAN (Tamar), « How can France do everything that it does in Africa and gets away with it », *African Affairs*, 80 (318), January 1981, pp. 3-12.

LAÏDI (Zaki), « Les États-Unis et l'Afrique : une stratégie d'influence croissante », *Politique étrangère*, 2, 1984, pp. 301-316.

— « Contraintes et enjeux de la politique américaine en Afrique », *Politique africaine*, 12, décembre 1983, pp. 25-45.

— « Présence soviétique en Afrique noire », *Études*, janvier 1982, pp. 19-32.

— « Les problèmes de consolidation de l'influence soviétique en Afrique », *Politique africaine*, 7, septembre 1982, pp. 82-90.

LORY (Georges), « La France et l'Afrique », *Marchés tropicaux et méditerranéens*, 24 décembre 1982, pp. 3357-3462.

MOATTI (Gérard), « La France et son Afrique », *L'Expansion*, 21 octobre 1983, pp. 173-183.

PÉAN (Pierre), *Affaires africaines*, Paris, Fayard, 1983.

PISANI (Edgard), *La main et l'outil. Le développement du Tiers monde et l'Europe*, Paris, Robert Laffont, 1984.

QUERCULUS, « Politique française en Afrique noire (1958-1983) », *Études*, décembre 1983, pp. 603-617.

SMOUTS (Marie-Claude), « La France et l'industrialisation du Tiers monde. Une vision kaléidoscopique », *Revue française de science politique*, 33 (5), octobre 1983, pp. 797-816.

WHITEMAN (Kaye), « President Mitterrand and Africa », *African Affairs*, 82 (328), July 1983, pp. 329-343.

YOST (David S.), « French policy in Chad and the Libyan challenge », *Orbis*, 26 (4), Winter 1983, pp. 965-997.

Table des matières

ÉDITIONS KARTHALA

(extrait du catalogue)

Collection *Méridiens*

Christian RUDEL, *Guatemala, terrorisme d'État.*
Bernard JOINET, *Tanzanie, manger d'abord* (épuisé).
Philippe LEYMARIE, *Océan Indien, le nouveau cœur du monde.*
André LAUDOUZE, *Djibouti, nation-carrefour.*
Bernard LEHEMBRE, *L'Ile Maurice.*
Alain GANDOLFI, *Nicaragua, la difficulté d'être libre.*
Christian RUDEL, *Mexique, des Mayas au pétrole.*
J. BURNET et J. GUILVOUT, *La Thaïlande.*

Collection *Les Afriques*

Ezzedine MESTIRI, *Les Cubains et l'Afrique* (épuisé).
Bernard LANNE, *Tchad-Libye : la querelle des frontières* (épuisé).
J.S. WHITAKER, *Les États-Unis et l'Afrique : les intérêts en jeu.*
Abdou TOURÉ, *La civilisation quotidienne en Côte-d'Ivoire.* Procès
 d'occidentalisation.
Jean-Marc ELA, *L'Afrique des villages.*
Guy BELLONCLE, *La question paysanne en Afrique noire.*
Collectif, *Demain la Namibie.*
Amadou DIALLO, *La mort de Diallo Telli, premier secrétaire général
 de l'O.U.A.*
Christian COULON, *Les Musulmans et le pouvoir en Afrique noire.*
Jean-Marc ELA, *La ville en Afrique noire.*
Jacques GIRI, *Le Sahel demain. Catastrophe ou renaissance ?*
Michel N'GANGBET, *Peut-on encore sauver le Tchad ?*
Marcel AMONDJI, *Felix Houphouët et la Côte-d'Ivoire.* L'envers
 d'une légende.
Jean-François BAYART, *La politique africaine de François
 Mitterrand.*

Collection *Afrique et Développement*

1. *Essais*

BLACT, *Introduction à la coopération en Afrique noire.*
I. MBAYE DIENG et J. BUGNICOURT, *Touristes-rois en Afrique.*
G.R.A.A.P., *Paroles de brousse* (épuisé).
Andrée MICHEL et al., *Femmes et multinationales.*
Collectif, *Alphabétisation et gestion des groupements villageois en Afrique sahélienne.*
Guy BELLONCLE, *La question éducative en Afrique noire.*

2. *Études*

P. EASTON, *L'Éducation des adultes en Afrique noire.*
Tome 1 : Théorie. Tome 2 : Technique.
Collectif, *La participation populaire au développement.* En coédition avec l'Institut Panafricain par le Développement (Douala).

Collection *Gens du Sud*

Alain ANSELIN, *La question peule.*
Christiane BOUGEROL, *La médecine populaire à la Guadeloupe.*
Paul LAPORTE, *La Guyane des Écoles.*
Christian MONTBRUN, *Les Petites Antilles avant Christophe Colomb.*
Keletigui MARIKO, *Les Touaregs.*
P. NGUEMA-OBAM, *Aspects de la religion fang.*
Carlos MOORE, *Fela, Fela ; cette putain de vie.*
Attilio GAUDIO et Patrick VAN ROEKEGHEM, *Étonnante Côte-d'Ivoire.*

Collection *Hommes et Sociétés*

1. *Sciences sociales*

Abdoulaye Bara DIOP, *La société wolof.*
J.F. MÉDARD, Y.A. FAURÉ et al., *État et bourgeoisie en Côte-d'Ivoire.*

Guy ROCHETEAU, *Pouvoir financier et indépendance économique en Afrique : le cas du Sénégal*. En coédition avec l'ORSTOM.

Collectif, *Enjeux fonciers en Afrique noire*. En coédition avec l'ORSTOM.

Nicole GRIMAUD, *La politique extérieure de l'Algérie*.

G. HESSELING, *Sénégal : histoire politique et constitutionnelle*.

Zaki LAÏDI, *L'U.R.S.S. vue du Tiers-Monde*.

2. Histoire et Civilisations

Joseph AMBOUROUE-AVARO, *Un peuple gabonais à l'aube de la colonisation. Le bas Ogowé au XIXᵉ siècle*. En coédition avec le Centre de Recherches Africaines.

Collectif, *La civilisation ancienne des peuples des Grands Lacs*. En coédition avec le Centre de Civilisation Burundaise.

François GAULME, *Le pays de Cama. Un ancien État côtier du Gabon et ses origines*. En coédition avec le Centre de Recherches Africaines.

Antoine GISLER, *L'esclavage aux Antilles françaises (XVIIᵉ-XIXᵉ siècles)*.

Juliette BESSIS, *La Méditerranée fasciste, l'Italie mussolinienne et la Tunisie*. En coédition avec les Publications de la Sorbonne.

Yoro FALL, *L'Afrique à la naissance de la cartographie moderne (XIVᵉ-XVᵉ siècles)*. En coédition avec le Centre de Recherches Africaines.

Zakari DRAMANI ISSIFOU, *L'Afrique dans les relations internationales au XVIᵉ siècle*. En coédition avec le Centre de Recherches Africaines.

Louis NGONGO, *Histoire des forces religieuses au Cameroun (1916-1955)*.

Raymond VERDIER, *Le pays kabiyé. Cité des dieux, cité des hommes*.

François RAISON-JOURDE (Et. réunies par), *Les souverains malgaches*.

Bakoly DOMENICHINI-RAMIARAMANANA, *Du Ohabolana au Hainteny : langue, littérature et politique à Madagascar*. En coédition avec le Centre de Recherches Africaines.

Susan ASCH, *L'Église du Prophète Kimbangu. De ses origines à son rôle actuel au Zaïre*.

Joseph GAHAMA, *Le Burundi sous administration belge*. En coédition avec le Centre de Recherches Africaines.

Collectif, *Peuples du Golfe du Bénin. Les Aja-Ewe*. En coédition avec le Centre de Recherches Africaines.

Jean-Pierre RAISON, *Les Hautes Terres de Madagascar*. En coédition avec l'ORSTOM.

Claude PRUDHOMME, *Histoire religieuse de la Réunion*.

Jean-Pierre OLIVIER DE SARDAN, *Les sociétés songhay-zarma. Mali-Niger.*

3. *Langues*

Pierre DUMONT, *Le français et les langues africaines au Sénégal.* En coédition avec l'A.C.C.T.

Philippe NTAHOMBAYE, *Des noms et des hommes. Aspects psychologiques et sociologiques du nom au Burundi.*

A. LENSELAER, *Dictionnaire swahili-français.*

4. *Archéologies africaines*

Jean-Baptiste KIETHEGA, *L'or de la Volta noire. Exploitation traditionnelle : histoire et archéologie.* En coédition avec le Centre de Recherches Africaines.

5. *Divers*

Collectif, *Études africaines en Europe,* Bilan et inventaire (2 tomes).

Collection *Relire*

Eugène MAGE, *Voyage au Soudan occidental* (1863-1866). Introduction d'Yves Person.

David LIVINGSTONE, *Explorations dans l'Afrique australe et dans le Bassin du Zambèze* (1840-1864). Introduction d'Elikia M'Bokolo.

Ida PFEIFFER, *Voyage à Madagascar* (1856). Introduction de Faranirina Esoavelomandroso.

Victor SCHOELCHER, *Vie de Toussaint Louverture.* Introduction de J. Adélaïde-Merlande.

David BOILAT, *Esquisses sénégalaises.* Introduction de Abdoulaye-Bara Diop.

<u>Politique Africaine</u> (revue trimestrielle)

1. *La politique en Afrique noire : le haut et le bas* (épuisé).
2. *L'Afrique dans le système international.*
3. *Tensions et ruptures politiques en Afrique noire.*
4. *La question islamique en Afrique noire.*
5. *La France en Afrique.*
6. *Le pouvoir d'être riche.*
7. *Le pouvoir de tuer.*
8. *Discours populistes, mouvements populaires.*
9. *L'Afrique sans frontières.*
10. *Les puissances moyennes et l'Afrique.*
11. *Quelle démocratie pour l'Afrique ?*
12. *La politique africaine des États-Unis.*
13. *Littérature et société.*
14. *Les paysans et le pouvoir en Afrique noire.*
15. *Images de la diaspora noire.*
16. *Le Tchad.*

(Pour plus de précisions sur ces titres, demandez le catalogue complet des éditions Karthala : 22-24, bd Arago, 75013 Paris.)